DE LA FRANCE

Carnets

E.M. Cioran

DE LA FRANCE

Traduction du roumain revue et corrigée
par Alain Paruit

L'Herne

LA MÉTAMORPHOSE

C'est la guerre. Cioran est à Paris. Il écrit au crayon, à gros traits appuyés, 1941, comme il aurait écrit le mot FIN sur son manuscrit, ce texte qu'il a intitulé *De la France,* en pensant aux moralistes du XVIIIᵉ siècle, en pressentant peut-être déjà qu'il les rejoindra un jour, ne serait-ce que par le style, le style qui en l'occurrence est « contenu ». Ne crayonne-t-il pas son portrait prémonitoire lorsqu'il les compare aux grands créateurs étrangers ?

Étrange livre que celui-ci. Apparemment consacré à la Décadence de la France, il est en fait un Hymne à la France, un hymne d'amour. Si le mot décadence revient régulièrement, pour expliquer que la France n'a plus d'avenir parce qu'elle a *trop donné,* pendant si longtemps, plus que tout autre pays au monde (la défaite est passée par là, Cioran a vu – « moment si dramatique[1] » – les Allemands remonter le boulevard Saint-Michel), les éloges sont plus nombreux, plus variés, plus réguliers : la France est « la province idéale de l'Europe », où vit un « peuple *accablé par la chance* », « un peuple qui fut pendant des siècles le sang d'un continent et la gloire de l'univers » ; « lorsque l'Europe sera drapée d'ombres, la France demeurera son tombeau *le plus vivant* ». Et enfin : « Qu'elle fut grande, la France ! »

Livre inattendu. Quelques années plus tôt, à Berlin, Cioran admirait sans réserve la discipline et la puissance nazies. Et voilà que, sans le dire explicitement, il prend, toujours sans réserve, le parti opposé : celui du vaincu contre le vainqueur. Parce que « la France préfigure le destin des autres

---

1. *Itinéraire d'une vie*, p. 112, Michalon, 1995.

pays », parce que « l'Europe a besoin, après tant de fanatisme, d'une vague de doutes... ». Or, qui pourrait la lui fournir mieux que le scepticisme français ? Mais aussi, et surtout, parce que Cioran s'identifie désormais à la France, quelque chose en lui, de plus fort que lui, le *francise* ; il s'en veut peut-être, mais il le *veut* inconsciemment. « Je perçois bien la France par tout ce que j'ai de pourri en moi », écrit-il.

Kafkaïen, ce livre. Cioran, l'antisémite d'hier est en train de muer. Le juif devient son frère en souffrance. *« Seuls les peuples qui n'ont pas vécu ne déchoient pas – et les juifs »*, souligne-t-il. « Nous autres, enchaînés dans nos destins approximatifs [...], ajoute-t-il, subissant expériences et aliénations – tels de pauvres juifs épargnés par les tentations messianiques. Tous les pays ratés participent de l'équivoque du destin judaïque : ils sont rongés par l'obsession de l'implacable inaccomplissement. »

Le livre charnière de Cioran. Il écrit, encore en roumain, mais en France, une ode à la France, aimée jusque dans sa décadence, dans sa fin, dans sa chute qui ne pourra pas être sans grandeur, tellement grande fut la France. L'Angleterre, l'Allemagne, la Russie même, sont plus fortes ? Sans doute. Mais c'est pour la France que bat son cœur. La larve d'hier est aujourd'hui chrysalide, demain l'imago prendra son envol dans les lettres françaises et la *Décadence* se fera *Décomposition*, en un magistral *Précis*. Le Cioran nouveau est arrivé, si vite, si brusquement qu'on se demande quel mystère peut se cacher derrière cette date : 1941.

Alain Paruit

NOTE BIOGRAPHIQUE

Texte clef, écrit au cours de l'année 1941, *De la France* est un monde en soi, un livre totalement à part dans l'œuvre de Cioran, autant par le ton qui n'est plus complètement roumain, ni encore tout à fait français, que par son contenu où l'histoire personnelle de Cioran, à peine âgé de trente ans, apparaît en filigrane derrière le commentaire. Il vient de quitter définitivement son pays natal où il ne retournera jamais, et se tourne, désormais, tout entier, avec passion vers la France.

Au mois de mars 1941, le jeune essayiste – qui a déjà publié, dans son pays, cinq livres retentissants[1] dont certains ont fait scandale autant par leur ton vindicatif et passionné que par le sujet abordé – a été nommé conseiller culturel à la Légation roumaine auprès du gouvernement de Vichy. La réalité est un peu plus sombre, Cioran a fui Bucarest au moment des représailles engagées par le Général Antonescu contre les Légionnaires de la Garde de Fer, et leurs amis. Or cette même année, Cioran a écrit « Le portrait du Capitaine » qui sera radiodiffusé sur le plan national. Cet éloge de Zelea Codreanu, dirigeant de la Garde de Fer, assassiné sur ordre du roi Carol II, deux ans auparavant, a rendu Cioran très visible et c'est de justesse qu'il parvient à s'échapper. Son frère Aurel dont il est et restera toute sa vie très proche, sera emprisonné.

La fonction diplomatique le lasse et, très rapidement, il déserte les bureaux de la Légation. Son absentéisme notoire irrite les services du ministère de l'Intérieur roumain qui

---

1. *Sur les cimes du désespoir*, 1934 ; *Le livre des leurres* et *Transfiguration de la Roumanie*, 1936 ; *Des larmes et des saints*, 1937 ; *Le Crépuscule des pensées*, 1940.

préconisent de se débarrasser de lui au plus tôt sans même lui verser son dernier salaire. Mais le jeune essayiste a déjà trouvé, à Paris, une autre occupation à heures fixes « comme un fonctionnaire » à la terrasse du Café Les 2 Magots, beaucoup plus intéressante celle-là, qui lui permet d'observer in vivo ce peuple qui le fascine et l'attire depuis toujours. « Comme je me serais rafraîchi à l'ombre de la sagesse ironique de madame du Deffand, peut-être la personne la plus clairvoyante de ce siècle ! ».

En 1937, alors titulaire d'une bourse (maintenue jusqu'en 1944) de l'Institut culturel français de Bucarest, il s'était inscrit pour y terminer sa thèse de licence sur Bergson à la Sorbonne. Mais l'établissement de la rue des Ecoles fut très vite délaissé déjà au profit des cafés parisiens, puis d'un long périple en bicyclette à travers la France, au cours duquel il logea dans des auberges de jeunesse et fit la connaissance de Français d'origines sociales très diverses. Complexé par ses origines, « venu de contrées primitives, du sous-monde de la Valachie, avec le pessimisme de la jeunesse », Cioran s'imbibe de l'atmosphère raffinée de Paris, s'extasie sur l'inégalable perfection de cette civilisation, et en scrute chaque signe de déclin.

De la France est aussi un troublant texte prophétique, d'une actualité brûlante, qui décrit dans le détail le plus précis les symptômes d'une mort annoncée, celle de notre civilisation occidentale. « Quand une civilisation entame-t-elle sa décadence ? Lorsque les individus commencent à rendre conscience ; lorsqu'ils ne veulent plus être victimes des idéaux, des croyances, de la collectivité. Une fois l'individu *éveillé*, la nation perd sa substance, et lorsque tous s'éveillent, elle se décompose. Rien de plus dangereux que la volonté de ne pas être trompé. »

L.T.

DE LA FRANCE

« Collection d'exagérations maladives* »

Je ne crois pas que je tiendrais aux Français s'ils ne s'étaient pas tant ennuyés au cours de leur histoire. Mais leur ennui est dépourvu d'infini. C'est *l'ennui de la clarté*. C'est la fatigue des choses *comprises*.

Tandis que pour les Allemands, les banalités sont considérées comme *l'honorable* substance de la conversation, les Français préfèrent un mensonge *bien dit* à une vérité mal formulée.

Tout un peuple malade du *cafard**. Voici le mot le plus fréquent, aussi bien dans le beau monde que dans la basse société. Le *cafard** est l'ennui psychologique ou viscéral ; c'est l'instant envahi par un vide subit, sans raison, – alors que *l'ennui** est la prolongation *dans le spirituel*

---

* Les mots suivis d'un * sont en français dans le manuscrit. Les mots en italique sont soulignés par l'auteur dans le manuscrit.

d'un vide immanent de l'être. En comparaison, *Langeweile*[1] est seulement une absence d'occupation.

Le siècle *le plus français* est le XVIIIe. C'est le salon devenu univers, c'est le siècle de l'intelligence en dentelles, de la finesse pure, de l'artificiel agréable et beau. C'est aussi le siècle qui s'est le plus ennuyé, *qui a eu trop de temps*, qui n'a travaillé que pour passer le temps.

Comme je me serais rafraîchi à l'ombre de la sagesse ironique de Madame du Deffand, peut-être la personne la plus clairvoyante de ce siècle ! *« Je ne trouve en moi que le néant et il est aussi mauvais de trouver le néant en soi qu'il serait heureux d'être resté dans le néant*. »* En comparaison, Voltaire, son ami, qui disait *« je suis né tué* »*, est un bouffon savant et laborieux. Le néant dans un salon, quelle définition du *prestige* !

Chateaubriand – ce Français, britannique comme tout Breton – fait l'effet d'une trompe ronflante à côté des effusions *en sourdine* de l'implacable Dame. La France a eu le privilège des femmes intelligentes, qui ont introduit la coquetterie dans l'esprit et le charme superficiel et délicieux dans les abstractions.

---

1. L'ennui, le désœuvrement.

Un trait d'esprit vaut une révélation. L'une est profonde mais ne peut s'exprimer, l'autre est superficiel mais exprime tout. N'est-il pas plus intéressant de s'accomplir en surface que de se désarmer par la profondeur ? Où y a-t-il plus de culture : dans un soupir mystique ou dans une « blague » ? Dans cette dernière, bien sûr, quoiqu'une réponse alternative soit la seule qui aille.

*
* *

Qu'a-t-elle aimé, la France ? Les styles, les plaisirs de l'intelligence, les salons, la raison, les petites perfections. L'expression précède la Nature. Il s'agit d'une culture de la forme qui recouvre les forces élémentaires et, sur tout jaillissement passionnel, étale le vernis bien pensé du raffinement.

La vie – quand elle n'est pas souffrance – est jeu.

Nous devons être reconnaissants à la France de l'avoir cultivé avec maestria et inspiration. C'est d'elle que j'ai appris à ne me prendre au sérieux que dans l'obscurité et, en public, à me moquer de tout. Son école est celle d'une insouciance sautillante et parfumée. La bêtise voit partout des objectifs ; l'intelligence, des prétextes. Son grand art est dans la distinction et la grâce de la superficialité. Mettre du talent dans les choses de rien – c'est-à-dire dans l'existence et dans les enseignements du monde – est une initiation aux doutes français.

La conclusion du XVIIIᵉ siècle, non encore souillé par l'idée de progrès : l'univers est une farce de l'esprit.

*

*   *

Vous pouvez croire en ce que vous voulez, vous pouvez édifier des divinités devant lesquelles vous prosterner ou auxquelles sacrifier. Elles viennent de l'extérieur, elles sont des absolus extérieurs. La véritable divinité de l'homme est un critère qu'il a dans le sang et d'après lequel il juge toutes choses. Sous quel angle jauger la nature, selon quel impératif psychologique sélectionner les valeurs, voilà l'absolu effectif, en comparaison duquel celui que prône la foi est pâle et insipide.

La divinité de la France : *le Goût*. Le bon goût.

Selon lequel, le monde – pour exister – doit plaire ; être bien fait ; se consolider esthétiquement ; avoir des limites ; être un enchantement du saisissable ; un doux fleurissement de la finitude.

Un peuple de bon goût ne peut pas aimer le sublime, qui n'est que la préférence du mauvais goût porté au monumental. La France considère tout ce qui dépasse la *forme* comme une pathologie du goût. Son intelligence n'admet pas non plus le tragique dont l'essence se refuse à être *explicite*, tout comme le sublime. Ce n'est pas pour rien que l'Allemagne – *das Land den Geschmacklosigkeit* [2] – les a cultivés tous les deux : catégories des limites de la culture et de l'âme.

*

* *

Le goût se place aux antipodes du sens métaphysique, il est la catégorie du visible. Incapable de s'orienter dans l'embrouillement des essences, entretenues par la barbarie de la profondeur, il cajole l'ondulation immédiate des apparences. Ce qui n'enchante pas l'œil est une non-valeur : voici quelle semble être sa loi. Et qu'est-ce que l'œil ? L'organe de la superficialité éternelle – la recherche de la proportion, la *peur*

---

2. Le pays du mauvais goût.

du manque de proportion définit son avidité pour les contours observés. L'architecture, ornée selon l'immanence ; la peinture d'intérieur et le paysage, sans la suggestion des lointains intacts (Claude Lorrain – un Ruysdael salonard, honteux de rêver) ; la musique de la grâce accessible et du rythme mesuré, autant d'expressions de la proportion, de la négation de l'infini. Le goût est beauté soupesée, élevée au raffinement catégoriel. Les dangers et les fulminances du beau lui semblent des monstres ; l'infini – une chute. Si Dante avait été français, il n'aurait décrit que le Purgatoire. Où aurait-il trouvé en lui assez de force pour l'Enfer et le Paradis et assez d'audace pour les soupirs extrêmes ?

*

* *

Le péché et le mérite de la France sont dans sa sociabilité. Les gens ne semblent faits que pour se retrouver et parler. Le besoin de conversation provient du caractère acosmique de cette culture. Ni le monologue ni la méditation ne la définissent. Les Français sont nés pour parler et se sont formés pour discuter. Laissés seuls, ils bâillent. Mais quand bâillent-ils en société ? Tel est le drame du XVIIIe siècle.

Les moralistes médisent de l'homme dans ses rapports avec ses semblables ; ils ne se sont pas élevés à sa condition en tant que telle. Pour cette raison, ils ne peuvent dépasser l'amertume et l'âcreté – et l'anecdote, non plus. Ils déplorent l'orgueil, la vanité, la mesquinerie, mais ils ne souffrent pas de la solitude intérieure de la créature. Que dirait La Rochefoucauld au milieu de la nature ? Il penserait certainement à la duplicité de l'homme, mais il ne serait pas capable de concevoir quelle sincérité se cache dans le frisson d'isolement qui le parcourt en ces instants de solitude métaphysique. Pascal est une exception. Mais jusqu'à lui – jusqu'au plus *sérieux* des Français – l'oscillation entre le monastère et le salon est évidente. C'est un homme du monde contraint, par la maladie, à ne plus être français que par sa manière de formuler les choses. Dans son reste de santé, il ne se distingue pas des autres moralistes. Supprimez-lui Port-Royal : il vous reste un *causeur**.

Les moralistes romains de la décadence, si on les lit encore aujourd'hui, c'est parce qu'ils ont approfondi l'idée de destin et l'ont apparentée aux déambulations de l'homme dans la nature. Chez les moralistes français – et chez tous les Français –, on ne la retrouve pas. Ils n'ont pas créé une culture tragique. La raison – d'ailleurs moins elle-même que son *culte* – a apaisé l'agitation orageuse de notre for intérieur laquelle, étant irrésistible et nuisible à notre quiétude, nous oblige à penser au destin, à son absence de pitié pour notre petitesse. La France est dépourvue du côté irrationnel, du possible fatal. Elle n'a pas été un pays malheureux. La Grèce – dont on a envié l'harmonie et la sérénité – a subi le tourment de l'inconnu. La langue française *ne supporte pas* Eschyle. Il est trop puissant. Quant à Shakespeare, il y sonne doux et gentillet, même si, après une lecture de Racine, Hamlet ou Macbeth semblent mettre le feu aux vers français. Comme si la langue était incendiée par le tumulte et la passion des mots. L'infini n'a pas sa place dans le paysage français. Les maximes, les paradoxes, les notes et les tentatives, si. La Grèce était plus complexe.

C'est une culture *acosmique*, non *sans* terre mais *au-dessus* d'elle. Ses valeurs ont des racines, mais elles s'articulent d'elles-mêmes, leur point de départ, leur origine ne comptent pas. Seule la culture grecque a déjà illustré ce phénomène de détachement de la nature – non pas en s'en éloignant, mais en parvenant à un arrondi harmonieux de l'esprit. Les cultures acosmiques sont des cultures abstraites. Privées de contact avec les origines, elles le sont aussi avec l'esprit métaphysique et le questionnement *sous-jacent* de la vie. L'intelligence, la philosophie, l'art français appartiennent au monde du Compréhensible.

Et lorsqu'elles le pressentent, elles ne *l'expriment* pas, contrairement à la poésie anglaise et à la musique allemande. La France ? Le refus du Mystère.

Elle ressemble davantage à la Grèce antique. Mais alors que les Grecs alliaient le jeu de l'intelligence au souffle métaphysique, les Français ne sont pas allés aussi loin, ils n'ont pas été capables – eux qui aiment le paradoxe dans la conversation – d'en vivre un en tant que situation.

Deux peuples : les plus intelligents sous le soleil.

L'affirmation de Valéry selon laquelle l'homme est un animal né pour la conversation est évidente en France, et incompréhensible ailleurs. Les définitions ont des limites géographiques plus strictes que les coutumes.

*

*   *

Les pays – malheureusement – existent. Chacun cristallise une somme d'erreurs nommées valeurs, qu'il cultive, combine, et auxquelles il donne cours et validité. Leur totalité constitue l'individualité de chacun d'eux et son orgueil implicite. Mais aussi sa tyrannie. Car ils pèsent inconsciemment sur l'individu. Cependant, plus celui-ci est doué, plus il se détache de leur pression. Toutefois, comme il *oublie* – puisqu'il vit –, les déficiences de son identité personnelle l'assimilent à la nation dont il fait partie. C'est pourquoi même les saints ont un caractère national. Les saints espagnols ne ressemblent aux saints français ou italiens que par la *sainteté*, et non par les accidents révélateurs de leur biographie particulière. Et ils conservent un accent identifiable, qui nous permet de leur attribuer une origine.

Quand nous parlons de la France, que faisons-nous ? Nous décrivons les fécondes *erreurs* commises sur une certaine parcelle de terre. Prendre leur parti ou s'y opposer signifie se faire à ces erreurs ou s'en défaire.

*

* *

Par deux fois, elle a atteint la grandeur : à l'époque de la construction des cathédrales, et à l'époque de Napoléon. C'est-à-dire à deux moments *étrangers* à son génie spécifique. Les cathédrales et Napoléon – tout ce qu'on peut imaginer de moins français ! Toutefois, le peuple a vibré : il a porté les dalles au Moyen Âge, et il est tombé aux pieds des Pyramides ou sur la Berezina.

Les Français ont créé le style gothique, d'essence germanique, et, sur le plan militaire, ont suivi le dernier représentant de la Renaissance italienne. Ils se sont ainsi dépassés à deux reprises ; ils ont dépassé leur perfection achevée par le contact avec deux inspirations de nature étrangère. Dans la création gothique a rejailli le sang des Francs, l'élément germanique ; dans les campagnes napoléoniennes, le génie méditerranéen des expéditions.

En dehors de ces moments, la France s'est contentée d'elle-même. Ni langues étrangères, ni imports de culture, ni curiosités tournées vers le monde. Tel est le défaut glorieux d'une culture parfaite, – qui trouve, dans sa loi, sa seule forme de vie.

Un pays heureux dans son espace, à la personnalité géographique bien définie, réussie jusque sur le plan physique. Rien d'impitoyable dans sa nature, *et aucun grand danger dans le sang*. Elle a imposé une forme aux éléments germaniques de sa structure, a coupé leur élan et les a réduits à l'horizontalité. C'est pourquoi le gothique français est plus délicat, plus humain et plus accessible, que l'allemand, qui attaque les hauteurs comme un ultimatum vertical adressé à Dieu. Dans une certaine mesure, les cathédrales françaises sont compatibles avec le bon goût. Elles n'abusent pas de l'architecture ; elles ne la compromettent pas par la recherche de l'infini. Nous sommes *dans un peuple de l'immanence*, qui a créé le genre inimitable des détails subtils et révélateurs de l'existence *dans le monde* : l'ornement. Ainsi, rien de plus français qu'une tapisserie, un meuble, une dentelle. Ou, sur le plan architectural : un manoir ou un hôtel (dans le sens ancien du mot, d'hôtel particulier). Un souffle de menuet parcourt, doux et lisse, une civilisation heureuse.

Elle n'a pu être *originale* que dans ces produits intimistes. Quand ils se furent usés, elle avait épuisé une bonne partie de ses possibilités. La décadence n'est pas autre chose que l'incapacité de créer encore, dans le cercle de valeurs qui vous définissent.

Au XVIIIe siècle, la France faisait la loi en Europe. Depuis lors, elle n'a jamais plus exercé que son *influence*. Le symbolisme, l'impressionnisme, le libéralisme, etc., sont ses derniers contacts *vitaux* avec le monde, avant de couler dans une absence fatale.

*
* *

Une civilisation heureuse. Comment ne l'aurait-elle pas été, elle qui n'a pas connu la tentation des départs ? N'eût été Napoléon pour mener les Français à travers le monde, ils demeuraient la province idéale de l'Europe. Il a fallu qu'il débarque de son île pour les secouer un peu. Il a su donner un contenu impérialiste à leur *vanité,* également appelée *gloire.* C'est peut-être pourquoi toutes ses expéditions sont indissociables de la littérature. Ils se sont battus pour avoir quelque chose à raconter. Aucune nécessité de la grande aventure, ils cherchaient seulement à être grands *aux yeux de Paris.* Ils n'ont pas la maladie du voyage. Mais celle du foyer, du salon ou de la propriété. Surtout cette dernière.

Un Joachim du Bellay qui se languit à Rome de « *la douceur angevine** », qui se sent loin de son village et des siens dans la Cité Éternelle, quel exemple significatif ! Ou Baudelaire, terrorisé par la crainte de l'ennui et de l'influence des poètes anglais, chantant les départs, mais incapable de fuir le Quartier latin ! Dans sa jeunesse, la nostalgie de Paris le conduisit à interrompre son voyage en Inde.

Les Français ont sacrifié le monde à la France. Que feraient-ils à l'étranger ? – D'ailleurs, tant d'étrangers n'ont-ils pas sacrifié leur pays à Paris ? Ici se trouve peut-être l'explication indirecte de l'indifférence et du provincialisme français. Mais cette province a constitué un jour le contenu spirituel du continent. La France – comme la Grèce antique – a été une province *universelle*. Ce sont aussi les seuls pays qui ont utilisé le concept de *barbare*, la qualification négative de l'étranger – n'exprimant par là rien d'autre que le refus d'une civilisation bien définie de s'ouvrir à la *nouveauté*. Un des vices de la France a été la stérilité de la perfection – laquelle ne se manifeste jamais aussi clairement que dans *l'écriture*. Le souci de bien formuler, de ne pas estropier le mot et sa mélodie, d'enchaîner harmonieusement les idées, voilà une obsession française. Aucune culture n'a été plus préoccupée par le style et, dans aucune autre, on n'a écrit avec autant de beauté, à la perfection.

Aucun Français n'écrit irrémédiablement mal. Tous écrivent bien, tous voient la forme avant l'idée. Le style est l'expression directe de la culture. Les pensées de Pascal, vous les trouvez dans tout prêche et dans tout livre religieux, mais sa manière de les formuler est unique ; son génie en est indissociable. Car le style est l'architecture de l'esprit. Un penseur est grand dans la mesure où il *agence* bien ses idées, un poète, ses mots. La France a la clé de cet agencement. C'est pour cela qu'elle a produit une multitude de talents. En Allemagne, il faut être un génie pour s'exprimer impeccablement, et encore !

Qui ne connaît la clé peut avoir toutes les intuitions possibles, il demeure en marge de la culture. Le style est la maestria de la parole. Et cette maestria est tout. Dans le monde de l'esprit, les vérités platement exprimées ne persistent pas, alors que les erreurs et les paradoxes enveloppés de charme et de doute s'installent dans la quasi-éternité des valeurs – on sait que ces dernières ne sont que des paroles auxquelles nous consentons avec un sentiment de respect vague ou précis, selon les circonstances et notre humeur.

Nous ne devons pas avoir pour la culture l'enthousiasme facile et réversible des ignorants. Elle jouit de tous les avantages de l'irréalité. Dès qu'elle n'est pas source d'enchantement, elle s'effiloche et flotte. Ses valeurs sont, dans leur essence, des flocons abstraits auxquels nous suspendons nos pauvres exaltations. La culture est une comédie que nous prenons au sérieux. C'est pourquoi nous ne devons pas en exagérer les mérites. Ce qui *est* la dépasse et ne se dévoile que rarement à notre inquiétude, située tellement plus haut.

Intelligents, catholiques, avares – trois manières de ne pas se perdre, trois formes *d'assurance*. Les Français ne connaissent pas les exagérations contre le moi, la générosité préjudiciable sur le plan spirituel et financier. Le goût et la culture leur ont servi à concevoir des *limitations*. La crainte de se perdre par un excès quelconque les a enkystés dans une rigidité affective. Existe-t-il un peuple moins sentimental ? Le cœur du Français ne s'attendrit qu'aux compliments bien tournés. Sa vanité est immense ; au point que la flatter peut même le rendre sentimental...

En général, il est capable d'intimité, mais pas de solitude. Un Français *seul*, c'est une contradiction dans les termes. Le sentimentalisme suppose une dépense lyrique du cœur dans l'isolement, la vibration sans discipline et sans dessein rationnel. Aimer, sans honte d'aimer ; adorer sans ironie ; se passionner sans distance...

Mais il méprise la dimension folklorique du cœur. Plus encore : il est *supérieur* au cœur, quand il ne se trouve pas *en dehors* de lui...

Nous qui venons d'autres pays, nous perdons facilement toute conscience géographique et vivons dans une sorte d'exil continu, ni doux, ni amer. Nous aimons la nature, et non le paysage humanisé par le foyer, les parents, les amis. Nous n'avons un chez-nous que par regret et par nostalgie. Les Français, depuis leur naissance, sont restés chez eux, ont eu une patrie physique et intime qu'ils ont aimée sans réserve et n'ont pas humiliée par des comparaisons ; ils n'ont pas été *déracinés* chez eux, ils n'ont pas vécu le tumulte d'une nostalgie insatiable. C'est peut-être le seul peuple en Europe qui ne connaisse pas la nostalgie – cette forme d'incomplétude sentimentale infinie. Sans musique folklorique non plus, qu'on ne trouve que dans le Sud (Pays basque, Provence, par influence espagnole et italienne), il n'a pas été tourmenté par cette incapacité de s'établir qui trouble les Slaves, les Germains, les Balkaniques et s'exprime dans les formes multiples du *Sehnsucht*[3].

---

3. *Sehnsucht* : à la fois langueur, désir ardent et nostalgie : la langue allemande a ce concept en commun avec le roumain qui l'exprime par le mot *dor*.

Peuple accablé de chance, doué de clarté, capable d'ennui mais pas de tristesse, aimant, dans les croyances, l'approximation et, par-dessus tout, ayant une histoire *normale*, sans vides, sans ratages ni absences – il s'est développé siècle après siècle, il a mis en valeur ce en quoi il croyait, il a fait circuler ses idéaux et a été présent dans l'époque moderne comme nul autre. Il paie cette présence par sa décadence ; il expie le vécu significatif, la réalisation rayonnante, le monde de valeurs qu'il a créé. S'il était resté les bras croisés, sa vitalité ne serait pas compromise. Pour les grandes nations, le crépuscule est une noble peine.

*
* *

Chaque peuple a ses problèmes, auxquels il s'attache jusqu'à les épuiser ; ensuite, il s'en débarrasse, en cherche d'autres et, quand il n'en trouve plus, il se repose au sein de son propre vide. Il est naturel que ces problèmes soient des illusions ; la question est de déterminer s'ils sont de qualité ou non. Les peuples de deuxième ordre cultivent des illusions médiocres qui ne peuvent susciter la réflexion, mais seulement de mépris ou d'amertume.

En philosophie, la France s'est limitée à un cercle de questions et de réponses où reviennent sans cesse les mêmes motifs : *raison, expérience, progrès**, mais presque jamais les régions équivoques de la métaphysique personnelle ou d'une théologie subjective. Pascal n'a pas pu déloger Descartes. Son triomphe a assuré à la pensée française le confort de la sécheresse intellectuelle, l'a condamnée à la banalité, au manque de risque, en l'éloignant de la fertilité de concepts proches de l'absurde, à même de tirer les catégories de leur pâle stupeur. Au fond, il n'y a pas de philosophie française, alors qu'il en existe une indienne, une grecque ou une allemande. Car une pensée n'a de vitalité que si elle débat – jusqu'au salut ou jusqu'au désespoir – des fonctions du possible, c'est-à-dire de la réalité dynamique. Il a fallu qu'arrive Bergson – à la *fin* de la philosophie française – pour découvrir le Devenir que percevait trop bien Eckhart, au début de la philosophie allemande.

Mais pour qui veut comprendre les limites de la France – or, décrire un pays signifie en définir les limites, non en préciser le contenu – l'exemple de sa musique est des plus révélateurs. Car ainsi elle *se trahit* : les émanations sonores jaillissent des incontrôlables affects, de ce qu'il y a de plus touffu, de plus éloigné et de plus profond dans l'homme.

C'est un art sérieux – qui ne peut être que sérieux. Il ne connaît pas *l'ironie* ; l'équivalent sonore du bon mot n'existe pas. Aucune vertu spécifiquement française n'est compatible avec sa dignité. C'est pourquoi les Français n'ont pas créé grand-chose dans ce domaine. Davantage, toutefois, que les Anglais, absolument stériles dans l'art du son, mais l'aimant plus intensément que les Français.

La musique requiert une sorte de piété abstraite, que possèdent les Allemands, une naïveté inspirée et vaste, présente dans la musique italienne du XVIIe siècle – la seule musique italienne, d'ailleurs, l'opéra étant une sinistre mascarade, un ronflement passionnel dépourvu d'ampleur et de profondeur.

Le sublime est la catégorie banale de la musique ; l'élan tragique ou le thème du vaste calme, les formes de sa respiration. Rameau, Couperin ou Debussy, ce dernier apparemment si différent des premiers, sont tellement français par leur délicatesse et leur refus du tumulte. Une dentelle qui se dissout, telle semble être leur trame sonore. Debussy est un Slave de salon ; un Paris oriental. Seul Berlioz a du souffle. Mais qui n'est pas frappé par sa *fausse* immensité ? Qui n'est pas irrité par sa force démonstrative, sa course à la vastitude et à la tension ? C'est un infini recherché... Quant à César Franck, c'est un compatriote de Ruysbroeck – l'admirable – et il porte dans le sang l'hérédité d'une mystique fort peu française...

La France est le pays de la perfection *étroite*. Elle ne peut s'élever aux catégories supra-culturelles : au sublime, au tragique, à l'immensité esthétique. C'est pourquoi elle n'a pas donné et n'aurait jamais pu donner un Shakespeare, un Bach ou un Michel-Ange. Par rapport à ces derniers, Pascal lui-même est un maître du détail, un subtil ravaudeur du fragment.

Les réflexions des moralistes français sur l'homme – absolues dans leur irréprochable finition – sont toutefois modestes, comparées à la vision de l'homme chez un Beethoven ou un Dostoïevski. La France n'offre pas de grandes perspectives ; elle vous enseigne la forme ; vous donne la formule, mais pas le souffle. Ceux qui ne connaissent que cela sont atteints d'une stérilité grave, et son contact exclusif est véritablement périlleux. Ceci ne doit être utilisé que pour nous corriger des extrémités du cœur et de la pensée, comme une école de la limite, du bon sens et du bon goût, comme un guide nous évitant de tomber dans le ridicule des grands sentiments et des grandes attitudes. Que sa mesure nous guérisse des errances pathétiques et fatales. Ainsi, son action stérilisante deviendrait salutaire.

*
* *

L'homme moyen est plus abouti en France que partout ailleurs. Son niveau dépasse celui de l'Anglais, de l'Allemand ou de l'Italien. La médiocrité a atteint un tel style qu'il est difficile de trouver chez l'individu ordinaire, chez l'homme de la rue, des exemples de stupidité caractérisée. Chacun sait se présenter, chacun sait quelque chose. C'est en cela que la France est grande par des *riens*. Il se pourrait que, finalement, la civilisation ne soit pas autre chose que le *raffinement de la banalité*, le polissage des choses minuscules et l'entretien d'un brin d'intelligence dans l'accidentel quotidien. C'est-à-dire en rendant la bêtise naturelle aussi supportable que possible, en l'enveloppant de grâce et en lui donnant le lustre de la finesse. Il est indubitable que c'est parmi les Français que l'on trouve le moins d'imbéciles profonds, irrémédiables, éternels. Même la langue s'y oppose. On se lance, dans les bistrots, des répliques de salon. La nation ne permet ni la profondeur ni l'imbécillité qui donnent ailleurs des millions de gens *quelconques* et quelques génies incommensurables. La France perd son équilibre si elle sort de la médiocrité.

Il nous faut lui être reconnaissants d'avoir cultivé jusqu'au vice l'horreur de la banalité. Alors que le Nordique le plus raffiné ne se sent empêché par aucune règle du savoir-vivre de prononcer un truisme et de le répéter, alors qu'aucun Germain ne connaît *la honte de l'évidence*, l'espace francophone nous offre au contraire les indicibles fraîcheurs des jeux de paradoxes faciles ou significatifs. Le défaut et la force du Nord dérivent du fait qu'il ne connaît pas le poids de l'ennui *dans la conversation*. Si les Allemands n'ont pas de roman, si leur prose est illisible, ce n'est pas seulement parce que la musique et la métaphysique sont les moyens d'expression qui leur conviennent, mais parce qu'ils ne sont pas capables de *parler*, d'entretenir les variations de niveau de la discussion. Le roman est une création des Français et des Russes : des peuples qui parlent et savent parler. Les dialogues soporifiques du roman allemand, l'incapacité nationale de dépasser le monologue expliquent l'inévitable carence de la prose. Pour qui aime *l'arôme* du mot, l'Allemagne provoque un infini bâillement. La poésie, la musique et la philosophie sont des *actes* de l'individu seul. L'Allemand n'existe que seul ou en nombre. Jamais en *dialogue* – alors que la France est *le pays du dialogue* et refuse les inspirations fades ou sublimes de ses voisins insulaires ou d'outre-Rhin.

Rien de moins allemand que le XVIIIe siècle français – et rien de plus français que ce siècle. Tout en lui est décoratif, des atours extérieurs aux colifichets de l'esprit. L'intelligence devient l'ornement exclusif de l'homme. La paresse élégante et le papotage subtil définissent sa noble superficialité. Il a *oublié* l'idée de péché : c'est la grande excuse du siècle. Ainsi, son libertinage ne peut pas être condamné : aucun plaisir ne doit être gâché par la conscience de la *faute* – produit d'une panique plébéienne ou d'un vice solitaire, peu appréciés dans un monde infiniment sociable.

Fragonard est le symbole de la libération sensuelle et de toutes les indiscrétions des sens. Personne, dans l'histoire de la peinture, ne dégage autant de parfum, une telle soif délicate de volupté, de vice innocent et inutile. Tout le secret du bonheur résiderait-il dans la *sensation* ? Ce qui est sûr, c'est que la Renaissance et le XVIIIe siècle, les époques modernes qui l'ont cultivée avec le plus d'intensité, sont aussi les plus éloignées de la Crucifixion. La clé donnant accès aux doux secrets de la terre se trouve en dehors du christianisme. — L'intelligence et les sens peuvent s'accorder et même s'entraider. Mais quand intervient *l'âme*, avec ses incertitudes obscures, la paix est troublée. L'homme dévoile alors son essence souterraine ou céleste – et le plaisir, fleur de l'immanence, se fane. Être superficiel avec style est plus difficile qu'être profond. Dans le premier cas, il faut beaucoup de culture ; dans le second, un simple déséquilibre des facultés. La culture est nuance ; la profondeur, intensité. Sans une dose d'artificiel, l'esprit humain se brise sous le poids de la sincérité, cette forme de barbarie.

*

* *

Quand une civilisation entame-t-elle sa décadence ? Lorsque les individus commencent à prendre conscience ; lorsqu'ils ne veulent plus être victimes des idéaux, des croyances, de la collectivité. Une fois l'individu *éveillé*, la nation perd sa substance, et lorsque tous s'éveillent, elle se décompose. Rien de plus dangereux que la volonté de ne pas être trompé. La lucidité collective est un signe de lassitude. Le drame de l'homme lucide devient le drame d'une nation. Chaque citoyen devient une petite exception, et ces exceptions accumulées constituent le déficit historique de la nation.

Durant des siècles, la France n'a fait que *croire* et, quand elle doutait, elle le faisait *au sein de ses croyances*. Elle a cru, tour à tour, au Classicisme, aux Lumières, à la Révolution, à l'Empire, à la République. Elle a eu les idéaux de l'aristocratie, de l'Église, de la bourgeoisie, du prolétariat ; et a souffert pour chacun. Ses efforts, transformés en *formules*, elle les a proposés à l'Europe et au monde, qui les ont imités, perfectionnés, compromis. Mais leur croissance et leur délitement, c'est elle qui les a vécus en premier lieu, et avec le plus d'intensité ; elle a créé des idéaux, et les a usés, les a expérimentés jusqu'au bout, jusqu'au dégoût. Cependant, une nation ne peut être indéfiniment génératrice de foi, d'idéologies, de formes étatiques et de vie intérieure. Elle finit par trébucher. Les fontaines de l'esprit se tarissent, et elle se réveille devant son désert, les bras croisés, effrayée par l'avenir.

*

* *

Si je me mettais à la place d'un Français de ces dernières décennies, à quoi pourrais-je adhérer ?

À la démocratie ? Mais, au bout d'un siècle d'abus du mot « *peuple* »*, après la mystique de la liberté et après son épuisement, après la vérification de l'utilité et de l'inutilité des principes de la Révolution, quel contenu nouveau pourrais-je lui attribuer ? Un peuple peut avoir fait une grande Révolution, imitée partout, le jour où ses idées sont compromises, il perd sa primauté idéologique. Un siècle consacré à préparer la Révolution et un autre à la répandre avaient rendu la France incontournable sur le plan doctrinaire et politique. Mais les idéaux de 1789 se sont altérés ; il ne reste de leur prestige qu'une désuète grandiloquence. La plus grande révolution moderne finit comme une *vieillerie* de l'esprit. Qu'a-t-elle été ? Une combinaison de rationalisme et de mythes : une *mythologie rationaliste.* Plus précisément : la rencontre de Descartes et de l'homme de la rue.

La démocratie ne procure plus aucun frisson et, en tant qu'aspiration, elle est fade et anachronique.

À la patrie ? Mais à quoi pourrait-elle encore servir ? La France a été *patrie* dès le Moyen Âge, quand les autres nations n'avaient pas même pris conscience d'elles-mêmes. Elle a été aimée, glorifiée, elle a mis en valeur tous les idéaux qu'elle pouvait. Aucun moment de son histoire n'inspire de regret. Chaque époque a vu se réaliser le maximum de ses possibilités ; pas un souffle de vide, pas une absence grave. Partout, des hommes au niveau requis. Au nom *de quoi* pourrait-elle encore toucher les *hommes* ? Que proposer à l'humanité et à elle-même ?

Les Français ne peuvent plus mourir pour quoi que ce soit. Le scepticisme cérébral est devenu organique. L'absence d'avenir est la substance du présent. Le héros n'est plus concevable – parce que personne n'est plus *inconscient ni profond.*

Une nation est créatrice tant que la *vie* n'est pas sa seule valeur, tant que ses *valeurs* sont ses critères. Croire dans la fiction de la liberté et mourir pour elle ; participer à une expédition pour la gloire ; considérer que le prestige de son pays est *nécessaire* à l'humanité ; substituer à cette dernière ce en quoi l'on croit, voilà les valeurs.

Tenir davantage à sa peau qu'à une idée ; penser avec l'estomac ; hésiter entre honneur et volupté ; croire que *vivre* est bien plus que tout, voilà la *vie*. Mais les Français n'aiment plus qu'elle, et ne vivent plus que par elle. Depuis longtemps, ils ne peuvent plus mourir. Ils l'ont trop souvent fait dans le passé. Quelles croyances s'inventer ? Leur manque de vitalité leur a montré la vie. Et la Décadence n'est que le culte exclusif de la vie.

Vivre est un simple moyen pour *faire*. Dans la décadence, cela devient un but. Vivre *ainsi*, voilà le secret de la ruine.

Le processus par lequel un peuple s'épuise est des plus naturels. S'il ne s'épuise pas, c'est un signe de maladie, d'inefficacité, d'éternelle déficience. *Seuls les peuples qui n'ont pas vécu ne déchoient pas – et les juifs.*

Mais la France a vécu avec une efficacité rarement rencontrée dans l'histoire. Elle a *trop* vécu. Cependant, alors que, dans les époques de grandeur, elle le faisait au nom de valeurs – qui étaient sa vie –, aujourd'hui, elles sont néant et la vie déficiente est tout.

Un peuple fatigué s'éloigne de ses propres créations. Il ne vibre plus au monde de l'esprit que par l'intelligence, car les gisements psychologiques d'où proviennent les croyances se sont asséchés.

Que ferais-je si j'étais français ? Je me reposerais dans le cynisme.

*

*   *

Je perçois bien la France par tout ce que j'ai de pourri en moi. Et l'Allemagne, la Russie, les Balkans, par la fraîcheur héritée d'un peuple tellurique.

Décadence égale lucidité collective : expiration de *l'âme*. Ne plus avoir d'âme. C'est le cas de la France. Comment l'a-t-elle perdue ?

À mesure qu'un peuple crée, il dépose une partie de lui dans ses objectivations. Avec chaque œuvre meurt un sentiment, avec chaque geste, une émotion, avec chaque élan, une possibilité. La culture absorbe les réserves de sensations, elle est un tombeau du cœur, une économie d'énergie sur le compte du sang. Chaque preuve du génie français – une église, une maxime, une bataille – renferme un plus de présent et un moins d'avenir. L'actualisation d'un peuple – la traduction en *signes* de ses non-dits dynamiques – dévoile une vitalité qui annonce une fin. La création mène à la mort, sauve les formes objectives de l'esprit et tue les forces vitales de l'âme. Sous la culture gît le cadavre de

40

l'homme. C'est tout le vide des Français d'aujourd'hui. Et ce tout est beaucoup.

Leur anémie affective n'est pas de nature temporelle, ce n'est pas une crise de croissance et pas non plus un accident historique, mais la conclusion d'un processus pluriséculaire, le couronnement final d'un destin. Non seulement ils n'ont plus de sentiments, mais de surcroît ils en ont honte. Rien ne vexe plus un Français que l'âme. Un peuple qui se momifie dans le doute. Un alexandrinisme, sans l'ampleur gréco-romaine. Une fin *évidente*, sans fracas et sans drame. Car le drame est davantage celui du chercheur, pour lequel la France ne peut plus être que le champ de vérification de quelques thèmes de la philosophie de la culture.

Pensons aux Slaves, aux Russes – peuples d'aubes futures – dont l'âme musarde. La terre regorge de leur sang ; la sensibilité croît en eux comme des plantes. Leurs réflexes sont indemnes ; leurs instincts sont des steppes de possibles bourgeons. Peu importe comment on les prend, partout, rien que de *l'avenir*, cet avenir pouvant être proche ou former le contenu des siècles futurs.

Chez les Français, les instincts sont atteints, rongés, la base de l'âme, sapée. Ils furent jadis

vigoureux – des croisades à Napoléon –, les siècles français de l'univers. Mais les temps qui
viennent seront ceux d'un vaste désert ; le temps
français sera lui-même le déploiement du vide.
Jusqu'à l'irréparable extinction. La France est
atteinte par le *cafard** de l'agonie.

*
* *

Les grandes nations ne font pas naufrage *par
accident,* mais en vertu d'une nécessité inscrite
dans leur noyau. Aucune intervention humaine
ni aucun calcul rationnel ne peuvent enrayer le
glissement sur la pente de la disparition.

Quoi que vous fassiez en France, quelque mesure que vous preniez, personne ne pourra dé-
cider les Français à faire des enfants. Quand un
peuple aime la vie, il renonce implicitement à
sa continuité. Entre la volupté et la famille,
l'abîme est total. Le raffinement sexuel est la
mort de la nation. L'exploitation maximum
d'un plaisir instantané ; sa prolongation au-delà
des limites de la nature ; le conflit entre les exi-
gences des sens et les méthodes de l'intelligence
sont les expressions d'un style décadent, qui se
définit par la capacité malheureuse de l'individu
à manœuvrer ses réflexes. Le pendant biologi-

que de la lucidité, de la volonté de ne plus être *dupe**, a des conséquences catastrophiques. Les enfants ne pourront que devenir des gens qui croient en quelque chose, qui adhèrent, qui sont suffisamment inconscients pour se sentir partie d'une nation, qui éprouvent joyeusement le besoin de se tromper par la participation et par les passions.

Un peuple sans mythes est en voie de dépeuplement. Le désert des campagnes françaises est le signe accablant de l'absence de mythologie quotidienne. Une nation ne peut vivre sans idole, et l'individu est incapable d'agir sans l'obsession des fétiches.

Tant que la France parvenait à transformer les *concepts en mythes*, sa substance vive n'était pas compromise. La force de donner un contenu sentimental aux idées, de projeter dans l'âme la logique et de déverser la vitalité dans des fictions – tel est le sens de cette transformation, ainsi que le secret d'une culture florissante. Engendrer des mythes et y adhérer, lutter, souffrir et mourir pour eux, voilà qui révèle la fécondité d'un peuple. Les « idées » de la France ont été des idées vitales, pour la validité desquelles on s'est battu corps et âme. Si elle conserve un rôle décisif dans l'histoire spirituelle de l'Europe, c'est parce qu'elle a *animé* plusieurs idées, qu'elle les a tirées du néant abstrait de la pure neutralité. Croire signifie animer.

Mais les Français ne peuvent plus ni croire ni animer. Et ils ne *veulent* plus croire, de peur d'être ridicules. La décadence est le contraire de l'époque de grandeur : *c'est la retransformation des mythes en concepts.*

Un peuple entier devant des catégories vides – et qui, des mains, esquisse une vague aspiration, dirigée vers son vide spirituel. Il lui reste l'intelligence, non greffée sur le cœur. Donc stérile. Quant à l'ironie, dépourvue du soutien de l'orgueil, elle n'a plus de sens qu'en tant qu'auto-ironie.

Dans sa forme extrême, ce processus est caractéristique des intellectuels. Rien, cependant, n'est plus faux que de croire qu'eux seuls ont été atteints. Tout le peuple l'est, à des degrés variés. La crise est structurelle et mortelle.

Qui a parcouru les villages français, autrefois pourtant traversés de souffle et de passion, réprime difficilement un serrement de cœur devant une monotonie et un silence rendus encore plus graves et irrémédiables par la présence exclusive de quelques vieux, dont les rides ne consolent même pas, puisqu'elles n'offrent aucun souvenir d'un *autre* passé. Dans toutes les provinces françaises, on se sent écrasé par le manque total de vie, de rythme, d'enfants, d'avenir. C'est la mort complète, veillée par le charme ancestral d'églises isolées dont les clochers résignés, avec une vague et vétuste coquetterie, semblent vous inviter à partir, à ne pas demeurer, mélancoliques, sur le seuil de leur définitive absence.

Ni l'indécision de mes pas, ni l'amok impétueux ne se sont jamais fait ressentir aussi vivement que dans mes balades sur les sentiers de France. Il me semblait fuir l'odeur de la mort, l'odeur de renfermé d'une stabilité finale. Mais, je ne le savais que trop, là où je vagabondais depuis quelques années, avaient vécu, pendant des siècles, les seuls gens heureux. Cependant, la gloire a un prix. La France « éternelle », avant de se perdre, deviendra un pays comme les autres.

Sous Napoléon, elle avait encore une jeunesse. Ses maréchaux étaient des jouvenceaux. Lui-même, à trente ans, était rassasié de gloire. Mais il avait sous la main un pays encore capable de folie.

Si, par miracle, un Napoléon apparaissait au milieu de tant de vieux, que pourrait-il faire ? Il s'occuperait probablement de philanthropie, de pensions, d'archives.

Qu'elle a été grande, la France !

La Révolution de 1789 a fait son temps, et la bourgeoisie avec. Nous avons tous le droit de croire qu'à son avènement elle était généreuse, gaspilleuse, accueillante. Mais qui l'a connue dans sa période de décomposition, avec son esprit avare, querelleur et mesquin, a compris qu'un tel support social ne pouvait que conduire à une ruine rapide. Elle a concentré tous les vices du peuple français. De l'individualisme et du culte de la liberté pour lesquels, autrefois, elle avait versé son sang, elle n'a retenu, dans sa forme crépusculaire, que l'argent et le plaisir. Sa fin marque le moment le plus médiocre de l'histoire de France. Elle n'a plus qu'une réserve sociale : le prolétariat. Et une seule clé : le communisme. Sa tradition jacobine ne peut déboucher sur une autre solution.

Mais le prolétariat lui-même est infecté par le manque de mission, par l'ombre historique du pays. Du frémissement bouleversant des masses modernes, il n'a retenu que les revendications matérielles, claironnant ses besoins et sa haine. La France n'a plus de destin révolutionnaire, parce qu'elle n'a plus d'idées à défendre. Quelque révolution qu'elle fasse, elle ne pourra avoir la moindre signification particulière.

Les formes spirituelles du passé ne viennent plus à son secours. Le catholicisme est si pénible, si poussiéreux, que se renouveler grâce à lui équivaudrait à un faire-part mortuaire. Que ferait un peuple aux instincts endormis, de liturgies soporifiques, de prêches entrecoupés de citations latines qui paraissent plus irréelles qu'un rêve dans les tréfonds d'une pyramide ? L'épuisement spirituel conduit à la momification d'une culture. Toutes ses réjouissances n'empêcheront pas la France de devenir une momie spirituelle, tout comme les oracles ne l'ont pas empêché chez les Grecs, ni les dieux chez les Romains. Les Parques sont plus impitoyables avec les peuples qu'avec les individus.

*

* *

Avec une culture aussi définie, la France ne peut se tourner vers des solutions extérieures. Les transfusions de sang ne font que prolonger l'agonie. Il serait indigne, au regard de son brillant passé, de recourir à de telles lâchetés. Elle ne peut le mériter qu'en acceptant sa fin avec style, en fignolant avec maestria une culture du crépuscule, en s'éteignant avec intelligence et même avec faste – non sans corrompre la fraîcheur de ses

voisins ou du monde par ses infiltrations déca-
dentes et ses insinuations dangereuses. Elle peut
encore intervenir concrètement dans la marche
des autres nations, mais *négativement*, comme
foyer d'une noble épidémie. L'Europe n'a-t-elle
pas besoin, après tant de fanatisme, d'une vague
de doutes ? Et ne nous préparons-nous pas tous à
un mal du siècle dans lequel sa contribution serait parmi les plus tentantes ? Si la France a encore une raison d'être, c'est de mettre en valeur le
scepticisme dont elle est capable, de nous donner
la clé des incertitudes ou de moudre nos certitu-
des. À vouloir redresser quelque chose, elle ne
s'exposerait qu'à l'ironie ou à la pitié. Les forces
d'un nouveau credo se sont depuis longtemps
éteintes en elle. Elle n'a rien raté de son passé.
Mais si elle refusait son destin alexandrin, elle
raterait sa fin. Et ce serait dommage.

La France attend un Paul Valéry pathétique
et cynique, un artiste absolu du vide et de la
lucidité. Lui qui, de tous les Français de ce siècle, s'est le moins trompé – symbole, par sa perfection, de l'assèchement d'une civilisation –,
n'est pas l'expression maximale de la décadence,
car il lui manque une vague nuance prophétique, et le fier courage dans l'irréparable. Sur la
pente de son raffinement, les Français peuvent

encore être féconds. Le renoncement au contenu est le secret de Valéry et de l'avenir français. Le culte absolu des prétextes, appuyé sur un dynamisme sans illusion, telle est la voie qui s'ouvre à sa possibilité alexandrine. Si la France ne devient pas le pays des dangereuses subtilités, nous n'avons plus rien à en apprendre. Qui trouvera la formule de ses lassitudes ?

L'Europe a encore suffisamment de vitalité pour endurer utilement un souffle d'incertitudes délicates et vénéneuses. Le sang germanique et slave en demande, en a même besoin. Le scepticisme confère de la noblesse à la virilité et de la distinction à la force. L'avenir spirituel du continent sera composé d'un mélange d'universalisme et de scepticisme. L'empire dissout les idéologies. À leur place apparaîtront les doutes infiniment raffinés. Les déficiences de la France orneront les énergies des peuples plus frais, et faciliteront ainsi leur processus de désagrégation. La France servira également de *modèle* aux grandes nations modernes ; elle leur montrera où elles vont et où elles finissent, elle tempérera leurs enthousiasmes. Car la France préfigure le destin des autres pays. Elle est arrivée plus rapidement au bout, parce qu'elle s'est beaucoup dépensée, et depuis plus longtemps. Quand les

Allemands sont entrés dans Paris, ils prévoyaient – puisqu'ils connaissent l'histoire – le dénouement, ils lisaient leur avenir dans la résignation et la fatigue de la Ville.

Les peuples commencent en épopées et finissent en élégies.

L'Allemagne, l'Angleterre et la Russie sont les pays des inégalités géniales. Leur absence de forme intérieure détermine leur évolution entre sommets et gouffres, entre excès et sérénité. Seule la France s'est *régulièrement* développée de sa naissance à sa mort. C'est le pays le plus accompli, qui a donné tout ce qu'il pouvait donner, qui n'a jamais manqué le coche, qui a eu un Moyen Âge, une Renaissance, une Révolution et un Empire. Et une décadence. C'est le pays qui a fait son devoir. C'est le pays de l'accomplissement.

Les Slaves et les Germains acceptent la fatalité : leur sort n'a pas connu un cours normal, tandis qu'il a été donné à la France d'avoir un destin *mesuré*. Elle s'est développée comme ordre *parallèle* à la nature. L'*homme* a continuellement contrôlé son contenu historique. Le Français lui-même se définit en tant qu'être humain, et non comme individu. Un pays *d'êtres humains* et non d'individus.

*
* *

Aux périodes où une nation est à *un point culminant*, apparaissent automatiquement des hommes qui n'ont de cesse de *proposer* des directives, des espoirs, des réformes. Leur insistance et la passion avec laquelle ils sont suivis par la foule témoignent de la force vitale de cette nation. Le besoin de régénération par la vérité et par l'erreur est propre aux périodes florissantes. Un écervelé comme Rousseau représente un comble d'effervescence. Qui se soucie encore de ses opinions ? Pourtant, leur tumulte nous intéresse encore en raison de leur écho et de sa signification. Une apparition de cette ampleur est aujourd'hui inconcevable. Le peuple n'attend rien. Alors, qui lui proposerait quelque chose, et quoi ? Les peuples ne vivent réellement que dans la mesure où ils sont gavés d'idéaux, dans la mesure où ils ne peuvent plus respirer sous trop de croyances. La décadence est la vacance des idéaux, le moment où s'installe le dégoût de tout ; c'est *une intolérance à l'avenir* – et, en tant que tel, un sentiment déficitaire du temps, avec son inévitable conséquence : le manque de prophètes et, implicitement, le manque de héros.

La vitalité d'un peuple se manifeste à l'aune de ceux qui peuvent mourir pour des valeurs dépassant la sphère restreinte des intérêts individuels. Le héros meurt *de bon gré.* Mais ce consentement final n'est possible que parce qu'il est guidé inconsciemment par la force de vie de son peuple. Ce dernier sacrifie ses membres par excès de force. Un peuple meurt *de trop de vie* à travers ses héros. Quand il n'en produit plus — et qu'il n'adhère plus au type d'humanité qu'ils représentent —, le tarissement scelle incurablement son devenir d'un stigmate négatif. Aux antipodes de l'héroïsme se trouve l'amour de la vie *en tant que telle.* C'est pourquoi les décadences n'ont pas de souffle épique. À l'époque gréco-romaine, l'épicurisme ou le stoïcisme ont annoncé la ruine définitive du monde homérique, qui avait vécu dans la *poésie du fait,* tandis que la fin de la civilisation antique se complaisait dans la prose de l'intelligence. Le dénouement français n'est pas autre chose : une prose de l'intelligence. Les nations font leur chemin dans les erreurs sublimes et le terminent dans les vérités arides.

Les héros homériques vivaient et mouraient ; les snobs de l'Occident discutaient du plaisir et de la douleur.

Français des croisades, ils sont devenus Français de la cuisine et du bistrot : le *bien-être** et l'ennui.

Il est naturel qu'un peuple qui se meurt ne veuille pas mourir. La vieillesse historique, comme la vieillesse individuelle, est un culte de la vie par manque de vie. C'est la flétrissure caricaturale du devenir...

La poursuite insistante du bonheur, le goût pour la parade du paradis, la volonté d'étouffer le noyau amer du temps, du cœur sont les preuves d'une profonde fatigue. Dans le souhait de s'épuiser dans l'immédiat, il y a le renoncement à l'infini. Rien n'est plus gênant que de voir une nation qui a abusé – *à juste titre* – de l'attribut « grand » – *grande nation, grande armée, la grandeur de la France** – se dégrader dans le troupeau humain haletant après le bonheur. Elle était réellement *grande* quand elle ne le cherchait pas. Aucune guerre, aucune révolution, aucun monument et aucun acte d'exception ne se sont jamais réalisés sans la passion aventureuse pour les flagellations de l'adversité et sans cette influence de chance et de malchance couronnant les actes de gloire. « *Le Français moyen* », « *le petit-bourgeois** » : types honteux de circulation courante, qui ont fleuri sur les ruines des

53

exploits du passé. Quelle ironie de la vie : le sacrifice des héros est suivi des fades délices du médiocre, comme si les idéaux ne jaillissaient de la gloire du sang que pour être piétinés par les doutes.

*

* *

Un peuple peut être considéré comme *atteint* quand les problèmes pénètrent ses instincts, les doutes ses sens, les incertitudes ses réflexes. Son corps accuse les interventions de l'esprit. La décadence biologique est un excédent de rationalité dans les automatismes. Les fonctions ne répondent pas à temps et ne remplissent pas directement leur rôle. La vie n'est *pleine* que dans l'inconscience. Une culture âgée ronge ses bases, anémie ses réactions spontanées et corrompt son sang, en l'apaisant, en le cultivant.

Comme les invasions des barbares au matin de la civilisation, la disparition de l'irrationnel dans le sang est le danger des civilisations à l'heure de leur maturité. Une goutte de *conscience* dans leur circulation – et le paysage du monde change.

Les idéaux se délitent et, avec eux, le symbole de la vie qui les a portés. Une culture meurt à tous les niveaux et, plus grave, jusque dans ses veines. Le raffinement s'attaque à leur substance.

Qu'est-ce que la Décadence, qu'est-ce que la France ? Du sang *rationnel*. Il la place dans une situation de contraste par rapport aux « primitifs », qui ne doivent pas être entendus seulement dans les arts, mais sur tous les plans de l'esprit. La France est tout ce qu'il y a de moins primitif, c'est-à-dire de frais, de direct, d'absolu. Le stade originel d'une civilisation est caractérisé par la relation naïve à l'objet et aux valeurs. Tout ce qui entre dans le champ de la perception ou du raisonnement conserve une marque d'inconditionné, comme un frisson virginal de l'esprit ouvert au monde. Un « primitif » crée sans le *savoir*, sans obsession technique ou réflexion esthétique, à partir de l'instinct qui le place dans la vie des choses. Il est l'homme qui vit dans *l'extase de l'objet.* C'est pourquoi sa vision est si peu problématique et si peu contaminée par les doutes et la conscience.

Au stade crépusculaire d'une civilisation, le doute remplace l'extase, et les réflexes ne servent plus de réponse immédiate à la présence des objets. Nous nous trouvons aux antipodes des époques primitives. L'artiste devient un savant de la perception – *par dégoût du regard* – et l'homme une créature parallèle à elle-même. Autrefois, il respirait dans les mythes ou en Dieu ; à présent, dans les *considérations* faites à leur sujet.

La contamination de l'instinct est une victoire catastrophique de l'esprit, et la culture, dans sa totalité, ne fait que poser des questions à la biologie. Celles-ci augmentent proportionnellement au raffinement spirituel. L'histoire des civilisations coïncide avec les crises biologiques, qui honorent la « vie » en la diminuant.

Les Français se sont usés par excès *d'être*. Ils ne s'aiment plus, parce qu'ils sentent trop qu'ils ont été. Le patriotisme émane de l'excédent vital des réflexes ; l'amour du pays est ce qu'il y a de moins spirituel, c'est l'expression sentimentale d'une solidarité animale. Rien ne blesse plus l'intelligence que le patriotisme. L'esprit, en se raffinant, étouffe les ancêtres dans le sang et efface de la mémoire l'appel de la parcelle de terre baptisée, par illusion fanatique, patrie.

Comment la raison, retournée à sa vocation essentielle – l'universel et le vide –, pourrait-elle encore pousser l'individu dégoûté d'être citoyen vers l'abêtissement des palabres de la Cité ? La perte de ses instincts a scellé pour la France un grandiose désastre inscrit dans le destin de l'esprit.

Si, au soir de la civilisation gréco-romaine, le Stoïcisme répandit l'idée de « citoyen du monde » parce qu'aucun idéal « local » ne contentait l'individu rassasié d'une géographie immédiate et sentimentale, de même, notre époque – ouverte, en raison de la décadence de la plus réussie des cultures – aspirera à la Cité universelle, dans laquelle l'homme, dépourvu d'un contenu direct, en cherchera un lointain, celui de tous les hommes, insaisissable et vaste.

Lorsque se défont les liens qui unissaient les congénères dans la bêtise reposante de leur communauté, ils étendent leurs antennes les uns vers les autres, comme autant de nostalgies vers autant de vides. L'homme moderne ne trouve que dans l'Empire un abri correspondant à son besoin d'espace. C'est comme un appel à une solidarité extérieure dont l'étendue l'opprimerait et le libérerait en même temps. De quoi une patrie le nourrirait-elle ? Quand il porte tant de doutes, n'importe quel coin du monde devient un havre. La conscience, affranchie des appels obscurs du sang, s'arrache à l'enlisement dans les soupirs originels, dans la tradition des manies ancestrales. Parcourez en pensée ou en sensation quelques civilisations, et vous transformerez l'univers en berceaux interchangeables, vous escamoterez les héritages maternels ou les impressions d'enfance sous les bénéfices incertains de l'éloignement. La marche de l'histoire étouffe la voix de la terre. Son avancée a pulvérisé les murs de la Cité comme elle écrasera ceux de la conscience. Être chez soi partout, telle est la loi qu'une civilisation trop mûre impose à l'homme qu'elle a transformé, de semence en fruit pourri. Au fond, qu'est-ce que la civilisation ? Un vain gardien de la lumière.

*

*   *

La malchance de la France c'est que son déclin est devenu évident à une époque où chacun s'y connaît en histoire. Le XIXᵉ siècle nous a laissé en héritage une perspective sur les civilisations, leurs données et leur philosophie. Nous sommes tous, à des degrés différents, des victimes de l'information, et pas assez naïfs pour juger la vitalité et les valeurs. L'alexandrinisme, un style de culture construit sur le sens de l'histoire, nous oblige à des synthèses que nous exploitons avec une fantaisie et une irresponsabilité savantes. Esthètes de l'univers historique, nous tenons les croyances des autres pour des prétextes, et leurs décadences pour des spectacles. Du crépuscule de la France, on ne peut parler qu'en termes esthétiques ; nous ne l'éprouvons pas, et les Français ne l'éprouvent pas non plus. Les développements historiques universels ont valeur de panorama. Et le Devenir lui-même, qu'est-ce, sinon une fonction tragi-comique de nos enchantements ?

La France est une occasion éclatante de vérifier les expériences négatives. Elle nous autorise au désabusement et au jeu, au paradoxe et à l'irresponsabilité. Son destin nous renforce dans les échecs, mais nous pouvons marier les nôtres aux siens – alliage de lassitudes du goût des futurs esthètes.

Être alexandrin, c'est-à-dire lyrique et froid ; participer de tout cœur, mais avec objectivité ; déborder *spectaculairement*. Impossible de ressentir autrement le passé et le présent.

Un pays qui ne vit plus *dans le possible*, que vous inspire-t-il, sinon une tendresse ironique ?

La maladie du présent ? Mes blessures au contact des blessures de la France. Fatale rencontre !

*

* *

Une décadence dont nous percevons tous le sens devient féconde pour nous, non pour ceux qui la subissent. Une fois de plus, nous nous enrichissons sur le dos de la France. Nous sommes les vampires intellectuels de ses tourments.

Dans sa carence de mythes, nous plantons la tente de nos entreprises spirituelles, dans son vide, nous nous exerçons à l'aventure. Quelle gêne, ses éventuels espoirs ! Un pays qui ne sert plus que d'aire d'envol vers les hauteurs et les irréalités de l'esprit, un pays sans aucun point d'appui, mais au regard duquel nous pouvons encore nous définir comme nous le ferions devant un ciel pâle en sachant qu'il masque un ciel bleu. Car, aussi bienveillants que nous le soyons, nous ne lui trouverons pour excuse que son passé. Lorsque l'Europe sera drapée d'ombres, la France demeurera son tombeau *le plus vivant*.

*

* *

L'arrachement aux valeurs et le nihilisme instinctif contraignent l'individu au culte de la sensation. Quand on ne croit à rien, les sens deviennent religion. Et l'estomac finalité. Le phénomène de la décadence est inséparable de la gastronomie. Un certain Romain, Gabius Apicius, qui parcourait les côtes de l'Afrique à la recherche des plus belles langoustes et qui, ne les trouvant nulle part à son goût, ne parvenait à s'établir en aucun endroit, est le symbole des folies culinaires qui s'instaurent en l'absence de croyances. Depuis que la France a renié sa vocation, la manducation s'est élevée au rang de rituel. Ce qui est révélateur, ce n'est pas le fait de manger, mais de méditer, de spéculer, de s'entretenir pendant des heures à ce sujet. *La conscience* de cette nécessité, le remplacement du *besoin* par la *culture* – comme en amour – est un signe d'affaiblissement de l'instinct et de l'attachement aux valeurs. Tout le monde a pu faire cette expérience : quand on traverse une crise de doute dans la vie, quand tout nous dégoûte, le déjeuner devient une fête. Les aliments remplacent les idées. Les Français *savent* depuis plus d'un siècle qu'ils mangent. Du dernier paysan à l'intellectuel le plus raffiné, *l'heure* du repas est la liturgie quotidienne du vide spirituel. La transformation d'un besoin immédiat en phénomène de civilisation est un pas dangereux et un grave symptôme. Le ventre a été le tombeau de l'Empire romain, il sera inéluctablement celui de l'Intelligence française.

L'alexandrinisme est la période des dénégations savantes ; le refus comme style de culture. L'homme erre avec noblesse parmi les idéaux ; le penseur fait serpenter subtilement son esprit parmi les idées. Ni l'un ni l'autre ne fait étape nulle part. Ils n'ont pas de patrie, pas de foyer. Car la décadence est l'absence de toit spirituel, la négation du foyer par l'esprit. Où reposer son corps et fixer son inspiration ? L'imagination érudite vous pousse dans toutes les directions ; pas un horizon n'arrête la curiosité pour les nouveautés... vieillies. C'est l'aventure sans l'espérance, la déception nostalgique.

Il y a des pays qui ne sont féconds et vastes que dans la décadence. C'est le cas de la Rome antique, trop limitée à son aurore, conquérante à son crépuscule. L'invasion des religions orientales, la multitude des nouvelles idoles chevauchant les superstitions autochtones, le scepticisme et l'immoralité entachés des mœurs provinciales transformèrent sa déchéance en accomplissement.

La fin de la France ne se mesure pas. Elle est trop naturelle, trop évidente et trop peu touffue ; c'est la conclusion logique de son devenir ;

si logique qu'elle *n'étonne* pas. L'extraordinaire n'est pas une catégorie française. Une agonie dépourvue de grandeur. Comme si c'était la fin du vide...

La France n'est à l'abri de Rien ; elle est à découvert face à l'avenir. Tout ce qui n'est pas amertume en elle est signe de vulgarité.

La gauloiserie a perdu son rythme primesautier et généreux, elle est joie sans contenu, déroute devant les soucis et les responsabilités. Le vide de la France – avoué dans la recherche de la distraction à tout prix – prend aux yeux du spectateur un aspect bien triste. Le besoin de rire – la terreur devant des sourcils froncés – prend un aspect grossier de nation déchue à la foire. En d'autres siècles, elle se plaisait à ne pas prendre la vie au sérieux, par excès de gravité ; à présent, elle est accablée par le vide, tourmentée par des cœurs creux. Le contenu sentimental de la tristesse lui inspire la peur : son rire est aigre, un spasme de sang âcre. Son déclin, évident depuis presque un siècle, n'a soulevé chez aucun de ses fils de protestation désespérée. On dirait que tous n'attendaient que de se faire oublier, insensiblement, et dans l'opulence... Le dégoût du sensationnel chez un peuple qui fut pendant des siècles *le sang* d'un continent et la gloire de l'univers, l'enferme irrémédiablement dans un futur anonymat.

*
* *

Si les Français n'étaient pas dégoûtés d'eux-mêmes, ils mériteraient le mépris. C'est la première fois de leur histoire qu'ils connaissent ce sentiment. Mais il n'a ni la puissance voulue, ni le frisson qui tourmente. Nous autres, enchaînés dans nos destins approximatifs, l'éprouvons dès notre première réflexion, nous naissons avec et le développons en grandissant, en subissant expériences et aliénations – tels de pauvres juifs épargnés par les tentations messianiques. Tous les pays ratés participent de l'équivoque du destin judaïque : ils sont rongés par l'obsession de l'implacable inaccomplissement. Comme si nous n'étions pas nés dans notre *élément*, la « patrie » est un symbole d'interminables doutes, un point d'interrogation qui ne trouve pas sa réponse – ni ethnique, ni sentimentale, ni même géographique.

La France a été *ici* ; elle a trouvé sa place dans le monde à tous les niveaux. Elle n'a perdu que l'avenir. Comment aurait-elle pu esquiver sa vieillesse ? Ses vétustes prestiges l'élèveront-ils à la noblesse de la contestation ? Le siècle des Lumières lui aura-t-il laissé de suffisantes réserves d'intelligence pour cultiver de superbes négations ? Un déclin qui ne se comprend pas perd sa poésie dans le ridicule.

Des projets et des espoirs, à l'heure de l'embaumement, frôleraient la vulgarité et jetteraient une ombre triste sur sa gloire passée. Les civilisations mûres qui n'ont pas compris la gloire de l'extinction suscitent la pitié des nations inférieures. Sur les berges de la Seine, je rêve d'une grandeur crépusculaire qui imposerait ses absences à un continent incertain. La France saura-t-elle être *présente* par... ce qu'elle n'est plus ?

*
* *

Mon destin est de m'envelopper dans les scories des civilisations. Comment montrer ma force autrement qu'en *résistant* au milieu de leur pourriture ? Le rapport entre barbarie et neurasthénie équilibre cette formule. Esthète du crépuscule des cultures, je pose un regard d'orage et de rêves sur les eaux mortes de l'esprit...

Dans l'onde si calme de la Seine je vois se refléter mon avenir mort comme celui de la Ville, et j'abandonne au fleuve indifférent ma fatigue tremblante.

Venu de contrées primitives, du sous-monde de la Valachie, avec le pessimisme de la jeunesse, et arriver dans une civilisation trop mûre, quelle source de frissons devant un tel contraste ! Sans aucun passé dans un passé immense ; avec la terreur originaire dans l'épuisement final ; avec le tumulte, et une vague nostalgie dans un pays dégoûté par l'âme. De la bergerie au salon, du pâtre à Alcibiade ! Quel bond enjambant l'histoire, et quelle fierté périlleuse. Tes ancêtres se traînaient dans la peine, et voilà que, pour toi, le mépris semble être une action, et l'ironie, sans le parfum d'une tristesse abstraite, une entreprise vulgaire.

Ne pouvoir vivre que dans le pays où n'importe qui est atteint d'intelligence ! Un univers composé d'agoras et de salons, un carrefour d'Hellade et de Paris, le voilà, l'espace absolu de l'exercice de l'esprit.

L'avenir humain se déploie entre deux pôles : le pastoralisme et le paradoxe. La culture est une somme d'inutilités : le culte de la nuance, la complicité délicate avec l'erreur, le jeu subtil et fatal avec l'abstraction, l'ennui, le charme de la dissolution. Le reste est agriculture.

*
* *

Les décadences sont : tranquilles, galopantes ou verticales.

La décadence française semble se situer au milieu. Trois manières de couler, qui se différencient par leur rythme. La noyade d'une civilisation... Elle révèle la vie, jeu d'une impudique fatalité et d'une impitoyable rigueur. Au fond, qu'est-ce qu'une civilisation ? Une mise en système de l'absurdité de la vie, un ordre provisoire dans l'incompréhensible. Dès que ses valeurs s'épuisent et ne conduisent plus l'individu à la foi et à l'action, la vie dévoile son non-sens.

Celui qui vit en marge de toutes les formes de culture, qui n'est victime d'aucune, se condamne lui-même, car il aperçoit dans leur transparence le néant de la nature.

La succession des civilisations est la série de résistances que l'homme a opposées à l'effroi de la pure existence.

*

* *

Un peuple a de la *vitalité* tant qu'il accumule des forces dangereuses pour lui et pour les autres. Mais quand le déséquilibre et la révolte commencent à se neutraliser, quand chaque ins-

tant du présent n'est plus l'occasion de crise féconde, d'avenir, sa tension ne dépasse plus le
seuil du temps. Il devient dépendant du temps.
Et les événements l'accablent. Le phénomène de
la décadence révèle le glissement vers la dépen-
dance au temps. Aucun pouvoir souterrain ne
surgit pour imposer une nouvelle configuration
à l'histoire. Le devenir signifie alors inertie de
la dissolution, impossibilité de la *surprise*.

Le pays qui n'est plus un péril pour lui-même
– dans lequel personne ne *s'étonne* plus – rêve
sa permanence dans les symboles négatifs de la
durée : le berceau et le cercueil.

Le temps tourne alors en vain autour de son
éclatement... Il ne peut pas en pomper l'avenir.
Dans le monde, tout se fane : désirs, pensées,
ciels et civilisations. Une seule chose reste en
fleur : l'absurde, l'intemporel absurde.

Du point de vue de la vitalité, être *en avance*
est préjudiciable, car en faisant un pas – et
même plusieurs – au-delà des évidences de la
vie, on se débarrasse du fardeau fécond des valeurs.

Un pays avancé ne souffre d'aucune complicité avec un quelconque idéal. Il rassemble en
lui tout ce qui pourrait constituer une négation
du gothique, c'est-à-dire de l'élan, de la trans-

cendance, de la hauteur. Son énergie ne tend pas *vers le haut*, elle penche. La France est Notre-Dame reflétée dans la Seine – une cathédrale refusant le ciel.

Un individu, une civilisation avancent *en dehors* de la vie. Tout progrès implique un équivalent de ruine. Sur le plan historique, la progression absolue équivaut à une fin de mission ; pour l'individu, à l'impossibilité de vivre.

Qu'apprendre des civilisations qui ont trop fermenté, sinon à mourir ? La France m'offrira-t-elle la leçon d'une honorable agonie ?

Un pays tout entier qui ne croit plus à rien, quel spectacle exaltant et dégradant ! Les entendre, du dernier des citoyens au plus lucide, dire avec le détachement de l'évidence : « *La France n'existe plus* », « *Nous sommes finis* », « *Nous n'avons plus d'avenir* », « *Nous sommes un pays en décadence** », quelle leçon revigorante, quand vous n'êtes plus amateur de leurres ! Je me suis souvent vautré avec volupté dans l'essence d'amertume de la France, je me suis délecté de son manque d'espoir, j'ai laissé rouler mes frissons désabusés sur ses versants. Si elle a été, des siècles durant, le cœur spirituel de l'Europe, l'acceptation naturelle du renvoi à la périphérie l'enjolive maintenant d'une vague séduction négative. Pour qui recherche les déclivités, elle est l'espace consolateur, la source trouble où s'abreuve la fièvre inextinguible. Avec quelle impatience ai-je attendu ce dénouement, si fécond pour l'inspiration mélancolique ! L'alexandrinisme est la débauche érudite comme système, la respiration théorique au crépuscule, un gémissement de concepts – et le moment unique où l'âme peut accorder ses ombres au déroulement objectif de la culture.

Si l'effondrement de la France n'est pourtant pas retentissant, cela relève de ses antécédents et de la nature de son histoire.

Jamais elle n'a aimé le rythme violent ni l'excès inhumain ; elle ne connaît pas l'équivalent du drame élisabéthain ou du romantisme allemand. Étrangère aux symboles puissants de la désespérance ou aux dons impétueux de l'exclamation – où trouver une sainte Thérèse parmi ces femmes au sourire intelligent ? –, elle mène sa chute à son terme, selon le rythme propre à son évolution. Elle n'a pas consumé sa vitalité dans des tressaillements exaspérés, sa vieillesse ne peut non plus donner lieu à d'âpres tensions. La douceur de Montaigne la veille à son crépuscule, comme elle l'a veillée à ses débuts. La France se prépare à une fin décente. Il y a des moments où l'espoir correspond à un manque de noblesse, et la recherche du bonheur, à une inconvenance.

La France est certes un organisme. Mais, dans son développement, elle a atteint un si haut degré de perfection qu'elle trouve mieux ses symboles dans les figures géométriques que dans les accidents du devenir biologique. Ses valeurs se lient selon le modèle des schèmes et la pureté des abstractions. On se demande comment ce qui communie avec les apparences de la stabilité peut *périr* ? Et comment des formes destinées, par leur rondeur vide, à demeurer inchangées, peuvent s'user ?

La décadence de la France ne ressemble-t-elle pas à la décomposition d'une géométrie ? Ce serait le cas s'il s'agissait d'un mal *formel*. Mais il s'agit d'un mal de l'âme dont la ruine se répercute dans le monde des valeurs, des formes, de la culture proprement dite. Comme système de civilisation *en soi*, la France pourrait se perpétuer indéfiniment ; mais ceux qui portent ce système, ceux qui l'ont produit, ne le supportent plus, ne le produisent plus. Les valeurs d'un pays peuvent durer, mais l'âme – leur racine – ne dure plus. L'homme, en effet, a dépéri. Et à mesure qu'il pourrit, ses créations entrent dans l'histoire de l'esprit, qui n'est pas autre chose qu'une forme flatteuse de l'archéologie, véritable finalité des efforts humains.

Ignorant les ruptures et les pauses – au contraire de l'Espagne après la ruine de l'empire, ou de l'Allemagne après les traités de Westphalie –, l'histoire politique et spirituelle de la France s'est développée selon les lois de la croissance normale. Son devenir est naturel. C'est pour cela qu'elle n'a pas émis de *théorie* du devenir, et que le monde l'a crue *statique*. Le dynamisme – entretenu par un culte abstrait – suppose ruptures et irréalisations intimes, incapacité d'évoluer normalement. Les pays sans accomplissement naturel sont ceux qui ont besoin de la parade théorique du devenir. L'irrationalisme allemand ou la pensée apocalyptique russe – religieuse ou nihiliste, peu importe – sont nés de la soif d'accomplissement de deux grands peuples auxquels l'histoire n'a pas souri – ils disposaient d'un excédent de vitalité qui ne pouvait s'exprimer dans des réalisations et des valeurs objectives. Ils apportaient un surplus de vie, qui ne s'accordait pas à leur réalité politique mineure ; enlisés dans les virtualités d'où jaillit, d'ailleurs, le dynamisme, tandis que la France, durant tout le temps de sa suprématie, était actualité. Considérée de l'extérieur, son évolution connaît un minimum de désaccords, d'absences et de pauses. À quoi lui aurait alors servi une théorie du devenir ? Elle sait qu'elle *est*. Un pays certain de son *avenir*, maître de *son* temps, n'a pas besoin de dynamisme ; il le *vit* – à moins qu'il ne l'insuffle dans sa décadence, par un refus du ridicule qui ternirait sa lucidité notoire...

*

* *

La France peut encore faire une révolution. Mais sans grandeur, sans originalité et sans écho : en empruntant des mythes aux autres – à l'exemple des communistes français, les seuls à avoir *la fibre* révolutionnaire –, en rapiéçant des discours à l'aide de vieilles phrases, de rafistolages anarchistes et de désespoirs de petite bourgeoisie qui a perdu la tête. Il faudra, avant qu'elle n'ait totalement épuisé ses possibilités de régénération sociale, que l'ivraie – *la populace** – triomphe, qu'elle fasse son apparition. La vie n'existe plus qu'en *banlieue**. Une France prolétaire est désormais la seule possible. Sauf que sa classe ouvrière n'a ni ressources d'héroïsme ni élans renversants. La carrière révolutionnaire de la France est virtuellement terminée. Elle ne peut plus se battre que pour son estomac. L'héroïsme, qui suppose un étrange mélange de sang et d'inutilité, ne peut plus être son oxygène. Jamais un peuple aux instincts en sommeil n'a proposé à l'humanité le moindre idéal, ni même des bribes de foi. Une intelligence en éveil, mais sans le soutien de la vitalité, devient l'instrument artificiel des petits faits quotidiens, de la chute dans une médiocrité sans remède.

Une nation n'atteint la grandeur qu'en regardant au-delà de ses frontières, en haïssant ses voisins et en voulant les subjuguer. Être une grande puissance signifie ne pas admettre de valeurs parallèles, ne pas tolérer de *vie* à côté de soi, s'imposer comme sens impératif et intolérant. Les grandes puissances souffrent de la maladie des séparations, elles se languissent de l'espace avec *virilité*. Les citoyens méprisent le confort mineur du foyer ; les paysans voient au-delà de l'horizon de la charrue. De prodiges énergies, des forces avides de gloire surgissaient autrefois des villages français.

... Aujourd'hui, la charrue est ennuyeuse, les foyers sont engourdis, le travail est sans charme. Ce même type de lassitude dut saisir les légionnaires romains, quand la monumentale fureur des expéditions fut apaisée. L'agriculture ne peut remplacer la gloire. Quand un peuple y a beaucoup goûté, une fois révolue, rien ne peut la remplacer. C'est le cas de la France, dont le seul contenu est son ancienne gloire, qui ne tient plus chaud à personne. Dans la décadence, un peuple se sépare de lui-même. La création se limite alors, pour lui, à ourdir son absence avec un vague effort, à entretenir sa propre stérilité, à la façon dont le ratage de l'individu se borne à couvrir d'un vernis d'intelligence la pourriture de sa moelle spirituelle. L'âme qui dressait dans un allegro primesautier des objectifs généreux finit dans un andante grognon, le rythme prédestiné de toutes les formes d'endormissement, historique ou individuel.

*

*　*

L'alexandrinisme peut être considéré comme une forme de culture *réussie* lorsqu'il représente une *plénitude de la décroissance*. Il y a des désagrégations fécondes et des désagrégations stériles. Une grande civilisation qui se provincialise diminue son volume spirituel ; mais, lorsqu'elle étend les éléments de sa dissolution, lorsqu'elle universalise son échec, le crépuscule conserve les symboles de l'esprit et sauve ses apparences de noblesse. Un certain pathétisme de la vieillesse *sied* à une culture en déclin ; elle peut même faire, de la qualité particulière de ses pentes, *une grande époque.* Alors, l'individu qui en fait partie peut être fier du présent ; il a le droit de mépriser le passé et l'avenir. Il y est même obligé. Se taisant sur les anciennes gloires et regardant *de haut* le possible, il s'allonge dans le berceau esthétique du raffinement, il ne craint plus le temps. Mais qui ne porte pas un Alcibiade dans son sang n'a rien à faire dans les époques trop mûres. Jeune, il est maladroit ; vieux, il est agonisant. Incapable de respecter les règles du jeu – or l'esprit est jeu –, il se retrouve dépossédé de ses capacités !

Prendre *conscience* du moment historique de la décadence n'est pas chose ardue ; mais il est extrêmement difficile d'en tirer les *conséquences*, d'accepter la vérité qui nous est imposée par l'évidence. Peu de gens se rendent compte *lucidement* du style complexe de la décadence, peu ont conscience du phénomène que la force du devenir les contraint de vivre.

Une époque alexandrine est une époque de synthèse. En elle s'entrecoupent toutes les formes de culture, car elle manque d'originalité productive et ne dispose plus que d'un destin résumant des bilans et des comptabilités spirituelles. *Couler* avec cet immense matériau, quel sort enviable ! Mais combien sont en état de goûter ce trop-plein de la décroissance ? Pour vivre en vibrant le vide débordant du soir spirituel, il faut non seulement éduquer notre sens historique, mais aussi nous distancer du monde, cultiver une certaine sensibilité néronienne *sans la folie*, un penchant pour les grands spectacles, pour les émotions rares et périlleuses, pour les inspirations audacieuses. Celui qui n'aime pas l'attrait équivoque des carrefours, que peut-il chercher en ces temps où craquent les articulations d'une civilisation et fermentent des formes nouvelles dans d'autres contrées – le chaos ?

*
* *

Pays du mitan, entre le Nord et le Sud, la France est une Méditerranée avec un supplément de brume. Dans cette contrée où sont nés les cathédrales et Pascal, le bleu est foncé, et bien qu'elle excelle en clartés, elle n'en est pas moins rayée par des suggestions d'obscurité. La France, dans sa totalité, est plus profonde qu'elle ne paraît. Parmi tous les grands pays, aucun ne donne l'impression – à première vue – de plus de superficialité. Ceci parce qu'elle a cultivé les apparences. Mais elle les a cultivées *en profondeur* ; elle les a soignées ; elle a jardiné. Elle n'a pas le sens des mondes souterrains et n'est pas poursuivie par les essences, mais elle est le pays du *phénomène en soi*. Un paysage de Monet – qui épuise la poésie du visible – la satisfait. L'impressionnisme est l'apparition la plus naturelle de l'art français, d'une certaine manière la conclusion du génie français. Si les apparences sont tout, la France *a raison*. On ne peut plus dire grand-chose à leur propos. Elle a compris jusqu'aux apparences de la noirceur. Le non-fondé probable de la métaphysique pourrait la sauver pour l'éternité. Une culture de mystères fugitifs, mais sans mystère. Et sans génie sauvage.

Cela, c'est une de ses carences constitutives et l'explication du calme visible de sa décadence. La bourrasque des sens – que les Anglais éprouvent mais dissimulent pour, de temps à autre, donner libre cours à son déchaînement – voilà ce qui manque à la France. Comme elle semble pâle à côté de l'Angleterre ! Pas un équivalent – même mineur – de Shakespeare.

Même si, du fait de son évolution, une civilisation porte un germe de mort et se dirige vers sa fin, un tumulte intérieur suggère un frémissement de vie couvrant l'inévitable décomposition. Mais la France – sous tous les aspects de son esprit – s'est efforcée d'étouffer le bouillonnement primaire déchaîné dans l'homme. L'effort de stylisation a tué le génie sauvage et l'originalité passionnelle qui vont si bien aux poètes anglais et au fonds anglo-saxon. Rien en elle du rêve infini des grandes civilisations, ni de la peur des limites de l'immanence, qui fondent l'appel de l'inspiration sans entraves. Une nation apoétique. N'est-il pas significatif que Baudelaire et Mallarmé – le premier, grand poète, le second, grand artiste – se soient nourris de la substance poétique de l'Angleterre, qu'ils soient des *anglicistes* dans l'intimité de leur cœur, et pas seulement par formation intellectuelle ? La France n'a pas suffisamment d'ouverture sur le chaos, sur le drame de l'imperfection et sur les gestations cosmiques. Une culture acosmique est une culture sans grands poètes. Que peut-elle opposer ne serait-ce qu'au préromantisme anglais ?

Les états vagues – les inaccomplissements monumentaux –, comment les traduirait-elle dans une langue linéaire ? Comment les traduirait-elle puisqu'elle n'en connaît pas ? Les nuances de la langue allemande pour exprimer les variations de la tristesse lui sont étrangères. La pléiade de poètes du romantisme allemand a excellé dans la gamme du flou, du flou qui *embrasse* le monde. La poésie ne s'exerce que dans les indéterminations métaphysiques, dans le vide s'ouvrant entre l'âme et le ciel. Un Novalis est incompatible avec le style de la culture française, avec le style de la perfection phénoménale.

La France a opposé *l'élégance* à l'infini. De là tous les mérites et toutes les déficiences de son génie.

L'esprit devient fureteur au moment où rien ne lui paraît plus absurde que l'Évidence. Mais qu'est son élégance, sinon un culte entretenu des évidences ? La densité de l'obscurité dans les tréfonds d'une civilisation soutient son dynamisme, tandis que la somme de lumière la condamne à la stérilité. C'est la condamnation de l'équilibre immobile, la suppression du rythme et de la dialectique. Le rationalisme comme forme de vie est la négation de la vie. Vivre pour de bon équivaut à une crise continuelle de *l'ordre*. Le progrès lui-même – qui ne peut être conçu que comme un temps *plein* – est une ruine constante de la dimension *formelle* de l'existence.

La France représente un type de culture antidionysiaque. L'extase et l'ivresse de l'esprit, la communion dans la confusion féconde et le sourire trouble de l'esprit qui rendent le monde mystique ne s'accordent pas avec le penchant aux dissociations, où elle excellait. Le culte du contour – le *dessin*, sur le plan de l'esprit – en fait une culture non géniale. Car tout ce qui se maintient dans les limites de la forme, à l'intérieur de la pure apparence, demeure extérieur au génie. Un pays aux lacs de pensée, mais sans suggestion océanique... On en vient à croire que le siècle des Lumières s'est figé dans une perfection impitoyable, telle une protestation contre l'infini. Le soleil, les mers et les continents des sens étaient trop vulgaires pour pénétrer dans les abstractions sans horizon des salons. Aucune autre civilisation n'a passé l'univers dans un plus fin tamis, jamais l'œil n'a été plus adapté en tant qu'organe de la délimitation, et *le cadre* en tant que symbole de la perfection.

En Espagne, un Van Gogh aurait été une apparition naturelle ; en France, il a quelque chose d'apocalyptique. Le frisson orgiaque n'entre pas dans les cartes de l'esprit français, qui s'est défini par opposition aux tréfonds de l'homme et aux oracles de l'âme. Mais trop de décence conduit à une sensation de stérilité et d'enkystement. Notre besoin d'immensité cherche sur d'autres rives une respiration par l'orgie : la France — avec trop de coupoles et trop peu de tours — est insuffisante pour nos quêtes vers le haut comme vers le bas. Les cultures acosmiques s'anémient dans la médiocrité des évidences.

Saurez-vous, en regardant mourir un peuple, renforcer vos convictions chétives, vous dresser avec la fureur du mal intérieur contre la tentation de la contagion ? La vue des grandes dissolutions nous envenime et nous durcit. Le venin sape notre fière constitution, mais la volonté de ne pas périr provoque la réaction. Refuser de s'éteindre, bien qu'on se soit délecté de la marche certaine vers l'extinction. Faire son destin de la contestation du destin, guerroyer contre la fatalité, voici la conclusion victorieuse des spectacles historiques. Bien que je comprenne infiniment mieux les Romains de la fin, ramollis par le vice, l'incrédulité et le luxe, que ceux de la grandeur, âpres, sains et confiants dans leurs idoles, je conserve quelque part le respect pour les autels de l'illusion et les temples jamais ébranlés par l'ironie. Lorsque Caton l'Ancien disait que deux augures ne pouvaient se regarder honnêtement en face sans éclater de rire, je le crois, non sans regretter les vitales superstitions. Une fois nos symboles abolis par la lucidité, la vie est une flânerie amère parmi des temples abandonnés. Comment vivre encore avec les seules ruines des dieux ? L'exhortation à exister me pousse vers le rêve d'autres tromperies ; je n'ai pas traîné dans les décadences sans éprouver le besoin des mensonges entraperçus. La palpitation de la sève requiert la conquête d'un territoire vacant ; des élans conquérants vous agitent dans les cimetières. *Le Barbare* s'est réveillé. C'est la seule réponse – celle de la vitalité – aux doutes de la connaissance.

Quand l'instinct a le dernier mot, le danger de dévaler la pente de la disparition diminue. Ceux qui appartiennent à une culture décadente ne l'ont plus, le salut n'est donc plus possible. La protestation des réflexes contre la tentation du déclin suppose un fonds secret de santé et de force, que n'ont pas pu étouffer les reflets crépusculaires.

Et puis, il existe dans l'individu une avidité d'être qui désarme les appels du néant, une appétence miraculeuse pour l'existence, qui écrase la complicité dilettante sous la noblesse équivoque des crépuscules. Quelque plaisir que puisse provoquer en vous le démembrement d'une civilisation, tant que vos articulations résistent, vous demeurez un esthète aux ressources primaires, n'étant ni assez mûr – sauf en pensée – pour mourir, ni suffisamment pourri pour couler à pic, mais seulement assez fier pour ne pas vous laisser souiller par des leurres exaltants. Tant que vous n'avez pas déposé les armes, tant qu'une vaste vision ne vous a pas complètement rongé la moelle, vous disposez de la force nécessaire pour affronter tout spectacle. Une sorte de fureur moribonde gît dans les esthètes de la décadence. Mais ils préfèrent la vue de la mort à la mort. La question est : jusqu'où seront-ils entraînés dans le jeu fatal, jusqu'où pourront-ils résister à son attraction morbide ?

*
* *

Toute une civilisation placée *en dehors du possible*. Tel est le sens d'une double hantise : individuelle et historique. Un même essoufflement dans les battements du cœur et dans l'univers des valeurs. L'âme n'assure plus le rythme de ceux-là et ne remplit plus celles-ci de contenu. Un pays sans âme cesse d'être un danger pour ses voisins.

Le monde slave s'élève, menaçant pour l'Europe en raison de son excès d'âme. La Russie en a trop. La France, trop peu. Elles forment le contraste le plus significatif qui soit : *elles se ré-*

clament, comme le matin et le soir. Les romans de Dostoïevski nous révèlent la désolation *prophétique* du cœur de l'homme ; ses personnages sont des *héros. Les Fleurs du mal* – désolation privée d'avenir ; l'individu souffre sans pouvoir agir dans une direction du temps. La misère psychologique du Slave est fertile, ouverte aux opportunités ; les individus ont un destin – qu'ils ont surtout quand ils se décomposent ; et ils se décomposent à cause d'un excès de vie. Le final dostoïevskien est annonciateur de mondes à venir ; le final baudelairien est la fin d'une culture, le vide de l'âme et des valeurs. La France n'a plus l'énergie qui constitue l'existence des héros. Les Russes peuvent être négativistes, car ils *croient* aux négations, elles ne sont pas pour eux un simple spectacle. C'est l'intensité, et non l'orientation, qui décide de la qualité des convictions. Celles-ci créent une persistance dans l'esprit, même quand elles le combattent. Une conviction est toujours un péril, car c'est une preuve de vie, alors que le doute de l'intelligence ne touche que d'autres intelligences.

Le maximum qu'un Français pourrait encore réaliser, ce serait une existence pascalienne sans grands soucis. Sa seule forme d'avenir est un Pascal vide – tandis que les Russes, à l'autre extrémité géographique et spirituelle, ont derrière eux la tradition intérieure des sectes, des capacités absolues d'erreur et d'adhérence. Ils *débordent* d'univers. Il ne leur manque que *la forme* pour s'accomplir dans l'ordre objectif de la culture. Les Français n'ont plus que les formes. Les Allemands se placent quelque part, vers le milieu entre un monde affaibli et un autre [mot illisible dans le manuscrit] ; ils ont *encore* une âme, mais ils peuvent théoriquement regarder sans dédain le niveau du devenir français, car ils sont suffisamment loin de leurs débuts pour faire abstraction, sans risque, des questions dangereuses que leur pose l'histoire. Insuffisamment mûrs du point de vue de la culture, les Russes ont le droit de regarder la France *de haut*. Ils n'ont pas les mêmes problèmes, car ils respirent dans le possible.

*

* *

Le risque auquel peut se confronter l'individu flottant au dessus des cultures est *le faux moi*, la perte de la mesure et du goût, le passage à des dimensions fallacieuses, à force de frayer avec des valeurs trop diverses. Les limitations de la France sont un antidote contre le faux moi, elles sont un barrage de classicisme érigé contre les tendances à la disponibilité et au flou. Car elle conserve une hérédité classique jusque dans son anticlassicisme. Jusqu'à ses confusions qui ont quelque chose de racinien. Le vers de Valéry, lourd de sens obscurs, provient formellement de l'auteur de Phèdre ; l'inintelligible respecte les apparences de la clarté, et les profondeurs sourient dans le *style*. Existe-t-il une mystique moins orgiaque et aux extases mieux définies que celle des Français ? Et tant de saints classiques, avec tant de François de Sales, et tant de sages élans !

Qui trop embrasse, falsifie le monde, mais en premier lieu, lui-même. Nous n'avons plus les moyens de nous y retrouver. Mais la France est une école de l'embrassement limité, une leçon contre le moi illimité. Qui n'est pas passé par là risque de vieillir en apprenti des virtualités. Une âme vaste enclose dans les formes françaises, quel type d'humanité féconde !

Qu'on apprenne au moins cela aux carrefours historiques : ajuster nos défauts aux étalons valables, profiter de la ruine des autres et durcir la matière visqueuse de notre esprit, éviter la pente des élégies. On ne peut plus extraire de la France aucun contenu ; mais elle constitue un univers de modèles que l'âme s'approprie pour ne pas perdre sa contenance et son assurance. Le manque de vie d'un pays va nous prémunir contre les dangers de la vie. Du tourbillon des purs élans, le salut ne vient – sur le plan culturel – que de l'expression. L'avenir enfantera-t-il une culture *d'orgies formelles* ? L'Europe trouvera-t-elle une formule pour concilier la profonde débauche du Slave ou la dépravation théorique du Germain et la calligraphie intellectuelle de la France ? Quant à elle, elle ne donnera plus de *substance* à l'esprit. Les Slaves et les Germains donneront-ils de la vitalité à ses formes ? Car je ne peux imaginer de pays plus dépourvu de *moelle* que la France. Plus aucune sainte illusion – or toute illusion est sainte – ne sommeille désormais dans ses os. Seuls le vide et sa vigilance règnent encore sur l'espace des croyances finissantes.

Ce qu'il faut à notre palpitation vitale, c'est un correctif catégoriel. Le pathos déchaîné, sans contrainte normative, conduit à la désarticulation de l'esprit, à un gothique dévergondé qui, par son élan, réduit son style à néant. *Une barbarie dans les catégories*, tel est le seul moyen de conjuguer fertilement la vie et l'âme. Sinon, l'irrationnel rabaisse la culture au niveau des trop terrestres Balkans, tout comme le règne des modèles abstraits mène à l'ossification de la France.

Le paradoxe des temps qui viennent sera-t-il défini par les extases pour [un mot indéchiffrable] et le culte de la géométrie, par l'abandon simultané à la passion et la pensée ?

Je rêve d'une culture d'oracles en logique, de Pythies lucides..., et d'un homme qui contrôlerait ses réflexes par un supplément de vie, et non par austérité.

*
* *

Celui qui a mené les dissolutions à leur terme peut encore se retrouver, tandis que celui qui est resté parmi elles est perdu. Vous avez vécu une décomposition, mais, si vous en avez la force, vous vous refaites ; des vibrations cachées vous ramènent à l'horizon vital de l'avenir. Mais n'allez pas juger de votre courage dans le partage des pourritures objectives. Les vôtres, vous les avez goûtées jusqu'à plus soif ; les autres, vous ne les goûterez pas moins. La thérapeutique mineure de la modération mène au ratage ; celle de l'audace, à l'écroulement ou à la renaissance. Vous avez été un cadavre parmi les cadavres du monde ? Alors vous méritez un printemps sous d'autres horizons. Avec l'histoire, il faut lutter ; avec le passé, être tout aussi impitoyable qu'avec le présent. Qui cherche une époque par timidité ou érudition est paisible et lâche. Considérez toute l'histoire universelle comme le champ de développement de votre bravoure. Et si vous n'avez pas l'élan guerrier, transformez-la en rêve, pour que le prétexte de l'irréalité excuse la sieste de vos instincts.

*

* *

Le phénomène de la décadence est la conclusion finale de la maturation historique. Une civilisation plus mûre ne représente pas un avancement dans les *valeurs*, mais dans la vie. Car nous n'avons aucun droit de tenir le dénouement pour un apogée. Ce qui est érudition en regard de la vigueur de l'esprit ou vieillesse en regard du jaillissement de la force, c'est tout ce qu'est la décadence en regard du développement ascendant de la vitalité. La sclérose est la punition que la vie mérite pour ses excès. La France paie les siècles de tumulte par l'immobilité. C'est une dégradation dont elle peut être fière, et qu'elle peut styliser par le cynisme. La nation qui a le plus prôné l'idée de progrès en est réduite à s'en exclure. N'est-ce pas là une belle expiation et une sanction pleine de sens ? Le concept de progrès – sur le plan historique, un refus de la mort –, qui a germé à partir de l'optimisme le plus dynamique et superficiel, pèche par son manque de base métaphysique. Croire à une éternelle et incurable progression équivaut à se bander les yeux pour ne pas voir l'essentiel. La déficience métaphysique de l'homme moderne ne peut se révéler plus significativement que dans ce concept. Et comme la France l'a porté, elle est la première à en payer les conséquences. Sa décadence précipitée prend ainsi la valeur d'un acte de justice. L'histoire la punit d'avoir voulu lui conférer plus qu'elle ne pouvait et une dignité dont elle est incapable. Les générosités sont de graves fautes théoriques. Mais, sans elles, une civilisation ne justifie pas sa marche sous le soleil. Elles révèlent le pouvoir d'illusion – de vie – qui gît dans un peuple. Plus elles ont été grandes, plus le réveil sera écrasant. C'est une graine de donquichottisme qui marque les potentialités internes d'un peuple. La civilisation qu'il crée est le fruit de cette graine. Quand elle s'est épuisée, l'homme s'assoit au bord de son destin, avec toutes les valeurs issues de la sève du leurre fécond, et jardine son abattement dans le repentir et le désenchantement.

La France n'est pas ironiquement punie seulement pour sa croyance superstitieuse au progrès, mais pour toutes les grandes et nobles formules sous lesquelles elle a dissimulé sa temporalité. « *La civilisation française** », « *la France dans le monde** » n'ont-elles pas exprimé, sous les apparences concises de leur grandiloquence, l'idée que le type de civilisation française est unique ? Et l'adjonction de l'adjectif « national » à toutes les valeurs a-t-elle eu un autre sens que celui d'individualiser une forme de culture considérée comme un symbole universel ? Mais, plus que tout, « *la France éternelle** » n'a-t-elle pas fixé en deux mots son effort trompeur pour fuir la solution dernière, celle du temps ? Aucun excédent de prestige verbal n'a pu ni arrêter ni couvrir le déroulement jusqu'à son terme. Qu'aucun Français n'ait entrevu « *la France mortelle** » est, bien entendu, un oubli de la vérité dû à la peur. Mais son contemporain étranger ne peut pas se permettre d'espoir fallacieux, quand, pour lui, le sens de l'irréparable historique est une gloire qui décore négativement l'âme.

*

*   *

Un pays est grand, moins par le haut degré de fierté de ses citoyens, que par l'enthousiasme qu'il inspire aux étrangers, par la fièvre qui transforme en satellites dynamiques des gens nés sous d'autres cieux. Y a-t-il au monde un pays ayant eu autant de patriotes issus d'un autre sang et d'autres coutumes ? N'avons-nous pas tous été, dans les crises, dans les accès ou dans les respirations durables, des patriotes français, n'avons-nous pas aimé la France avec plus d'ardeur que ses fils, ne nous sommes-nous pas élevés ou humiliés dans une passion compréhensible et toutefois inexplicable ? N'avons nous pas été nombreux, en provenance d'autres espaces, à l'embrasser comme le seul rêve terrestre de notre désir ? Pour nous qui arrivions de toutes sortes de pays, de pays malchanceux, la rencontre d'une humanité aboutie nous séduisait en nous offrant l'image d'un foyer idéal. Nous tous qui avons perdu des jours et des années sur ses chemins, nous avons versé les innocences de notre cœur dans une tendresse que nous ne regrettons pas, même si, ce faisant, nous avons perdu la possibilité d'être un jour féconds sur un sol natal éloigné par l'espace et plus encore par notre *nostalgie**. Que nous lui ayons donné un jour la meilleure part de nos convictions, ou que nous nous soyons délectés dans les déceptions comme dans d'expertes occupations, quel autre pays aura réuni des hommages et des refus plus flatteurs ? Nous l'avons tant

93

gâtée que, dorénavant, ni elle ni nous ne trouverons d'autre occasion de rencontre lyrique.

Nous réglerons des comptes sous d'autres cieux, mais sans élan et sans révérence. Quelque chose d'elle est passé en nous, *quelque chose* qui a massacré en nous l'innocence de l'âme. Où trouver des stimulants pour d'autres naïfs enfantements ? La graine d'enfance qui donne naissance au temps a perdu sa vigueur dans un pays désensemencé de son avenir par un trop-plein de passé. Notre errance vers autre chose est trop souvent étranglée par l'endiguement dans le mal d'une nation sur le point de clore sa raison d'être. Nous portons sur les épaules et en pensée des échos de sa fin. C'est peut-être pourquoi nos idées ont quelque chose de la monotonie du pouls et des agonies certaines. Dans quelque direction, sur quelque plateau ou sentier que nous orientions nos pas, la France ne mourra pas seule, nous expierons ensemble le goût saugrenu de la fugacité. Et quelque espoir que nous entretenions, le fardeau de cet héritage nous rejettera, c'est certain, du cœur de l'avenir vers ses confins.

1941 *[au crayon]*

Manuscrit déposé à la Bibliothèque littéraire Jacques Doucet, Fonds Cioran.

Achevé d'imprimer par Corlet, Imprimeur, S.A.
14110 Condé-sur-Noireau
N° d'Imprimeur : 120166 - Dépôt légal : mars 2009
Imprimé en France